通勤大学MBA13
統計学

グローバルタスクフォース(株)=著
GLOBAL TASKFORCE K.K.

通勤大学文庫
STUDY WHILE COMMUTING
総合法令

まえがき

■なぜＭＢＡにおいて統計学を学ぶのか

本書で取り上げるテーマである「統計学」は、あらゆるスケール、あらゆる種類の社会集団に対する、数学の理論を用いた客観的な分析手法です。

ビジネスの世界における意思決定は、可能な限り客観的な情報に基づいて、論理的なプロセスを使って導き出した分析結果からなされる必要があります。その中で、情報を客観的に集め、それを数学的に分析する統計学の手法は強力な力を発揮し、あらゆる業界で広く使用されています。

一方、「数字が人をだますのではない。人が数字を使ってだますのだ」という言葉があるように、データを正確に読む力がなければ、「統計のうそ」によって判断を誤る恐れがあります。

このように、統計学の手法は正確に使いこなすことで強力な武器になるという意味でも、正確に理解していないと誤った判断に直結するという意味でも、一流を目指すすべてのビジネスマンが理解する必要があります。そして本書は、統計学の理論の中でも、とくにビジネスに即応できる部分に集中した、いわばビジネス統計への入門書です。

■本書の目的と対象者

本書を読んでいただく対象となる方は、どの世界でも通用する生きたビジネスの法則と理論を結びつけて、自分自身の市場価値向上につなげることを目指すビジネスマンで

す。実際、前向きなビジネスマンほど時間がなく、通勤時間が唯一の自由時間である場合も多いといえますが、電車の中で読むのに適したサイズの有用なビジネス書は数が限られています。本書は、時間がないために分厚い体系書を1章しか読まずに本棚にしまっていたような人が、通勤時間や待ち合わせ時間などの細切れ時間を利用できることを前提に、わかりやすくしかもコンパクトに書かれています。

　また、本書を読むことにより読者は、あらゆるビジネスシーンに関係し、とくに品質管理のマネジメント、経営資源管理などの内部分析、あるいは市場分析・顧客調査などの外部分析などにおいて有効なツールである統計手法の基礎知識を、簡潔かつモレなく学ぶことができます。

　たとえば、マーケティング環境分析の過程1つをとっても、外部環境・内部環境の分析があります。その中で外部環境は、マクロ環境における経済的・社会的変化の分析において、既存の資料から最適な数値データを読み、さらに過去のデータと照らし合わせて予測を行う必要があります。あるいは顧客調査における消費者ニーズの調査では、アンケートの結果を誤差・リスクを含めて活用するために、推測の技法を運用する能力が求められます。

　一方、内部環境の分析でも、自社の生産能力・販売能力は競合他社と比べて具体的にはどのくらいのレベルにあるのかを数値で把握し、そこから導き出された分析結果をわかりやすく示さなければなりません。

　現代の企業で統計データ、とくに数値でデータに関わらない部門はないといってもよいでしょう。そのため、データを正しく取り扱う技法としての統計学がすべてのビジネ

スマンに必要となってくるのです。

■本書の構成

　本書は、大きく分けると導入・本編・応用の3部構成になっています。第1部は本格的内容を学ぶための導入部分、第2部が理論の本体となる部分、第3部は応用で、第2部の内容を理論面でより高度に追及した第7章と、第2部の内容を実践面で追求した第8章の2つが主軸となります。

　以下、さらにその内容を詳述します。

　第1部では、第1章でまず統計学全体の設計図を示します。次に第2章で、統計データを整理する際の方法として、図示する方法、1つの値に集約する方法を紹介します。

　第2部では、まず第3章でデータの組み合わせを分析する方法を紹介し、第4章で、現実の調査で必須となる、標本調査に関する理論・注意点を述べます。第5章では、調査対象の一部である標本の調査から、全体の姿を推測する手法を、第6章では、現実のデータを推測した全体像にあてはめてテストし、当てはまり具合を見る検定の手法を学びます。本書の核は、第3章と第5・6章です。

　そして第3部では、第7章で多変量解析という、数多くのデータの関係を扱う手法を学びます。これは第3章の内容の発展編にあたります。第8章では、第1章から第7章までの内容を使って、実践的なモデルを考えていきます。

　なお、本書は見やすさに配慮して図を入れ、基本的に見開き2ページで1つのテーマが完結するようまとめてあります。そのため、どの章から読み始めても理解ができるよ

うにレイアウトされていますが、やはりＭＢＡを学ぶ最も重要な意義は「体系的」に理解をすることにあります。よって、虫食いにならないよう順番にマスターしていくと、最大限の学習効果をあげることができます。

■謝辞

　本書の出版にあたり、総合法令出版の代表取締役仁部亨氏、竹下祐治氏、足代美映子氏、田所陽一氏に感謝の意を表します。

　また、執筆・構成に多大なる協力をいただきました浜崎惟氏、坪内孝太氏に感謝します。

通勤大学MBA13

統計学

■目次■

まえがき

本書の体系フローチャート

【第1部】統計学への第一歩
第1部で学ぶこと　16

第1章　統計学の概要
- 1-1　統計学の定義　20
- 1-2　統計データの要素　22
- 1-3　統計の分類　24
- ◆第1章のココだけは理解しよう！　26

第2章　分布分析の基本
- ケース1　架空の労働者34人の集団に関するデータ　28
- 2-1　分布の表示　32
- 2-2　ヒストグラムの見方　34
- 2-3　代表値の決定①　～平均値～　36
- 2-4　代表値の決定②
  　　　～メディアン（分位点）とモード～　38
- 2-5　代表値の使い分け　40
- 2-6　ローレンツ曲線とジニ係数　42
- 2-7　ばらつきの測定①
  　　　～分散・標準偏差と変動係数～　46
- 2-8　ばらつきの測定②　～標準化と偏差値～　48
- ◆第2章のココだけは理解しよう！　50

【第2部】統計学の基本知識

第2部で学ぶこと　52

第3章　データ間の関係を捉える

- ケース2　架空の労働者34人の集団に関するデータ　56
- ケース3　ある商店の売上と、その他の変数に関するデータ　60
- ケース4　消費者物価指数の変遷　64
- ケース5　円相場の推移　66
- 3-1　2種類のデータを表示する　72
- 3-2　相関係数① ～相関係数とは何か～　74
- 3-3　相関係数② ～因果関係との違い～　76
- 3-4　見かけ上の相関と偏相関係数　78
- 3-5　回帰分析とは何か　80
- 3-6　回帰直線と最小2乗法　82
- 3-7　回帰分析による予測　84
- 3-8　時系列データの分析① ～構成要素～　86
- 3-9　時系列データの分析② ～移動平均法～　88
- 3-10　時系列データの分析③ ～自己相関係数～　90
- ◆第3章のココだけは理解しよう！　92

第4章　信頼性のある標本を作成する

- ケース6　円相場の推移　94
- 4-1　標本と母集団の関係　100
- 4-2　抽出法　102
- 4-3　非標本誤差の例① ～単純ミス～　104

4-4 非標本誤差の例②
　　　〜サンプルの偏り・回答の偏り〜　106
4-5 非標本誤差の例③
　　　〜設問の偏り・概念と指標のズレ〜　108
4-6 標本誤差とは　110
　　◆第4章のココだけは理解しよう！　112

第5章　標本から母集団を推定する

5-1 確率論の考え方　114
5-2 確率論の方法①　〜ベルヌーイ試行〜　116
5-3 確率論の方法②
　　　〜推測における確率分布の考え方〜　118
5-4 大数の法則　120
5-5 標本誤差と標本数の関係　122
5-6 正規分布　124
5-7 点推定と区間推定　126
5-8 点推定　128
5-9 区間推定①　〜t分布〜　130
5-10 区間推定②　〜平均値の推定〜　132
5-11 区間推定③　〜比率の推定〜　134
5-12 区間推定④　〜標本数の推定〜　136
5-13 区間推定⑤　〜カイ2乗分布〜　138
5-14 正規母集団による推定のまとめと補足　140
　　◆第5章のココだけは理解しよう！　142

第6章　仮説の正しさを検定する

6-1 仮説とは　146
6-2 2種類の誤り、両側検定と片側検定　148

6-3　検定の発想　150
6-4　母平均・母比率に関する検定　152
6-5　母分散に関する検定　154
6-6　適合度の検定　156
6-7　独立性の検定①　～確率論における独立性～　158
6-8　独立性の検定②　～統計的手法～　160
　　◆第6章のココだけは理解しよう！　162

【第3部】発展的内容への導入

第3部で学ぶこと　166

第7章　多次元のデータを分析する（多変量解析）

ケース7　プールが主となる駐車場つき
　　　　　　スポーツ施設に関するデータ　168

7-1　多変量解析とは何か　170
7-2　重回帰分析①　～重回帰分析の考え方～　172
7-3　重回帰分析②　～重回帰分析の難しさ～　174
7-4　判別分析の考え方　176
7-5　主成分分析の考え方　178
7-6　因子分析の考え方　180
7-7　主成分因子と因子分析の違い　182
　　◆第7章のココだけは理解しよう！　184

第8章　実践へのガイダンス

8-1　統計数値の「意味」
　　　（数学の領域とビジネス現場の違い）　186
8-2　イメージに注意（統計のうそ）　188

- 8-3　外れ値のワナ
    - （相関分析・回帰分析の際の注意）　190
- 8-4　外れた選挙結果予想①　〜サンプルの偏り〜　192
- 8-5　外れた選挙結果予想②
    - 〜歪みのない抽出の難しさ〜　194
- 8-6　天候に関する予測
    - （平均値とその標本数の区間推定）　196
- 8-7　視聴率調査（比率とその標本数の区間推定）　198
- 8-8　製品の規格はそろっているか
    - （母分散の区間推定）　200
- 8-9　休日の売上増（ダミー変数を含む回帰分析）　202
    - ◆第8章のココだけは理解しよう！　204

付録　補遺

1. スタージェスの公式・歪度と尖度　208
2. 順位相関係数　210
3. 層別抽出法・ロビンソンの誤謬　212
4. チェビシェフの不等式・大数の法則の証明　214

統計記号一覧　218
統計数値表（標準正規分布表・t分布表・カイ2乗分布表）　220
統計用語索引　224

図表制作・大東印刷工業株式会社
本文イラスト・大橋ケン

■本書の体系フローチャート■

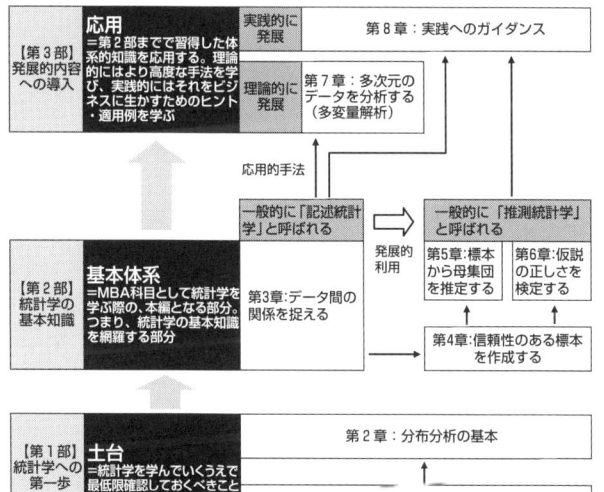

第1部
統計学への第一歩

■第1部で学ぶこと■

　第1部「統計学への第一歩」では、統計学の知識を学ぶにあたって最低限の前提となる知識について説明します。

　第1章「統計学の概要」は、本書全体への導入にあたる部分です。「統計学の定義」では、統計学が実践においてどのように役立つ技術であるかを述べ、同時にリスクの存在について述べます。
　統計学は、自社売上の分析、他社分析、市場分析などあらゆる数値データを扱う際に、非常に強力な武器になり得ます。しかし同時に、調査や分析の過程でミスがあると誤った結果が出ますし、仮に調査方法などが正しくても、現実と大きく異なるアウトプットが出てくる可能性は常に残っています。すなわち、リスクが常に存在するということです。
　この利便性とリスクの認識が、統計手法を実際に使う際に非常に重要なものとなります。
さらに、「統計データの要素」では分析される側のデータについて、「統計学の分類」では、データを分析する手法について、より細かい区分を述べていきます。

　第2章「分布分析の基本」では、データを表示する方法と、データの性質を分析する際の基本となる指標である、代表値について説明します。いずれも、一目見ただけでは捉えられない大量のデータの性質を、別の形に置き換えて

理解するための手法です。これは自分が意思決定を行う際にも、人にそれを納得させる際にも、重要なことです。

　データの表示にはさまざまな方法がありますが、ここでは代表例として、度数分布図とヒストグラムを紹介します。プレゼンや会議などの現場においても、データを単に羅列するのと、目に見える形に置き換えるのでは、説得力がまったく違います。

　また代表値は、数多くのデータの性質を、1つの数値に集約して表そうとするものです。これによって、データの性質が見えやすくなるだけでなく、第2部以降で述べるさまざまな分析が可能になります。また、さまざまな代表値の性質を知っておくことによって、現場でそれらの数値が使用される際に、はたしてそれが適切な使用法なのかを判断することもできるようになります。

第1章
統計学の概要

1-1 統計学の定義

現在、新聞やテレビなどのメディアには大量の数値情報があふれています。もし、それらがまったく無秩序に並んでいたとしたら、私たちは完全に混乱してしまうでしょう。しかし、実際にはそれらの数値は何らかの形で整理され、あることについて説得力を持つよう分析がなされたうえで、私たちに提示されていることが多いといえます。

このように特定の事柄や現象についての数値情報を集めて分析し、そこからそれらについての法則性を引き出すための技術が**統計学**です。いい換えれば、統計学とは数学的な根拠に基づき、事柄や現象の科学的推論を行うものです。これを適切なやり方で行えば対象についての客観的情報を得ることができるため、ビジネスだけでなく自然科学、社会科学、行政など幅広い分野で必須のものとなっています。

実際のビジネスでは、市場分析や商品の品質管理などの分野において、統計学の知識と実践法がとくに重要です。それ以外の点でも統計学の方法論は、すべてのビジネスマンに求められるクリティカルシンキング（物事を客観的・論理的に考え、それを相手にわかりやすく伝えるための思考方法）のあり方と深く関係しているといえます。

このように便利な統計学ですが、その反面、落とし穴もあります。統計学において、それについての情報を知りたい大本の集団のことを**母集団**といいますが、たとえば、自分が知りたい情報の指標となるべき母集団の選び方が間違

統計学の概要

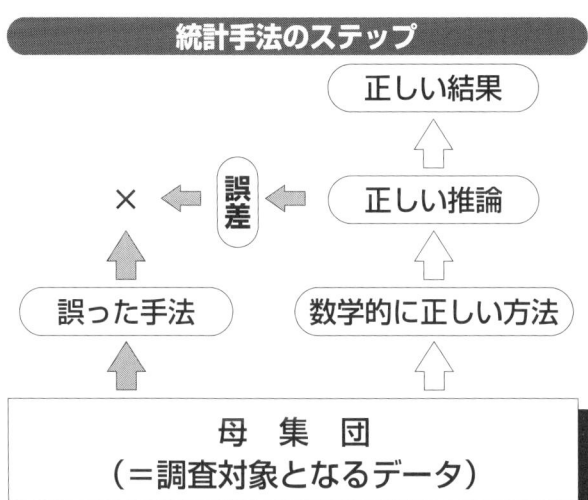

っている可能性があります。また、母集団を正しく選んだとしても、その分析のやり方が間違っていることもあります。そして、それらを意図的に行うことによって「統計のうそ」をつく人もいます。さらに、さまざまな回避可能な条件をクリアしても、避けられない誤差が生じて、判断を誤るリスクは常にあります。

今日、統計手法は広く普及しており、うまく使用すれば大変便利なものですが、万能ではないことも忘れてはなりません。また、統計データの処理にはほとんどの場合コンピュータが使われますが、コンピュータは計算をするだけで、それを使う人間が原理を知らなければ、本当に統計や統計手法を活用することはできません。そのためにも、一度は統計学を体系的に学ぶ必要があるといえるでしょう。

1-2 統計データの要素

前項で述べたように、統計学とはデータを元に、対象についての情報を得るための方法論です。ここではその統計データについて、①範囲、②性質、③段階の3つの側面から考えます。

①データの範囲

母集団のすべてについてデータ収集を行う場合を、**全数調査**といいます。国勢調査がその典型例で、膨大な時間と費用をかけて正確なデータを収集します。

しかし、実際のビジネスの現場において、母集団すべてについてのデータを収集することはほぼ不可能です。そこで、母集団から何らかの基準でデータを選び出し、その選ばれたデータについて調べることによって、母集団について推測を行うことが多々あります。このとき選ばれたデータのことを**標本**といい、このような調査方法を**標本調査**といいます（標本の選び方については、第5章で詳説）。

②データの性質

データには**量的データ**と**質的（定性的）データ**があります。量的データとは、時間・長さ・重さ・個数など、その性質を数値で表せるものであり、質的データとは、性別（男／女）・天気（晴れ／曇り／雨／雪）など、直接数値で表すことができないものです。

質的データを統計的に扱う際には、しばしば**ダミー変数**という考え方が使われます。たとえば、「男＝1、女＝0」

統計データの要素

データの範囲	データの性質	データの段階
標本調査 → 標本 ← 母集団 ← 全数調査	＜定量的データ＞ 重さ＝○○○.○○g 長さ＝○○.○m …… ＜定性的データ＞ 性別＝男 出身地＝東京都 ……	第二義統計 ↑集計 資料／第一義統計 ↑集計 原データ

などとして、数字の問題に置き換えて分析する手法です。

③データの段階

調査によって得られたデータを**原データ**といいます。しかし現実には、調査には時間と費用がかかるため、自力で実行できないことも多く、そのようなときは行政機関などのデータを使うことになります。そのような際には、原データは手に入らず、何らかの統計処理が施されたものを使用することになるケースがほとんどですが、これを**統計資料**といいます。

統計資料の中でも、あらかじめ統計資料を作る目的で調査が行われ、その結果を集計したものを**第一義統計**、もともとは統計資料作成が目的でない資料を集計したものを**第二義統計**といいます。

1-3 統計学の分類

　前項で、データの範囲に関しては全数調査と標本調査があり、情報や法則を知りたい対象に関して、そのすべての要素のデータを集めるのが全数調査、その一部から標本をとり、標本から全体を推測するのが標本調査であると述べました。

　統計学の歴史は、まず大量のデータを整理し、一般的な法則性を見出す方法の探求から始まりました。これを**記述統計学**といいます。記述統計学では、母集団すべての要素に関してデータを収集します。したがって、全数調査は記述統計学に基づいているといえます。

　記述統計学から一歩前進し、後に確立したのが母集団の一部を調べることで全体を推測する**推測統計学**です。この推測統計学は、数学における確率論を基礎にしています。簡単にいえば、現象が一定の確率に従うということを前提にして、「一部を調べれば全体の察しがつく」と考える思考法です。標本調査は推測統計学を使用するといえます。ここで重要なのは、推測統計学を学ぶうえでも使用する際にも、記述統計学の知識は必要だということです。

　この区分に沿えば、本書の主目的は次の2つに分けられます。
①記述統計学の手法である、相関分析・回帰分析の基本について学ぶ（第3章）
②推測統計学の手法である、推測・検定の基本について学

統計学の概要

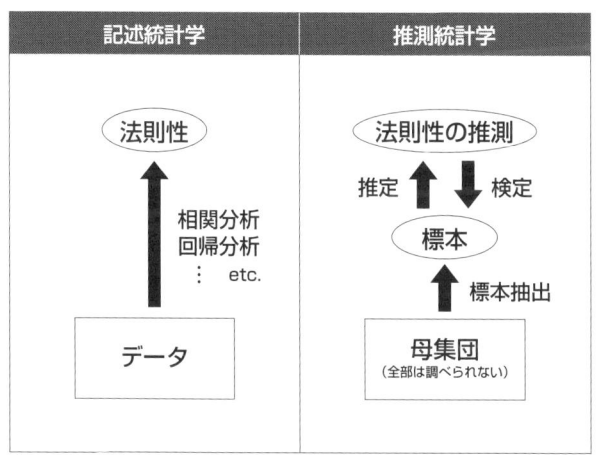

ぶ(第5章・第6章)

統計学について本格的に学ぼうと思えば、ビジネスの現場で使われているものだけでも、これ以外にたくさんの応用的な手法や考え方があります(そのいくつかは第7章・第9章で紹介しています)。しかし、ここに述べられているものがその基本であることに変わりはありません。

もう一度確認しておくと、統計学の目的は「データの全部または一部を整理・分析することにより、そこに共通する法則性を見出すこと」です。簡単にいえば、①で扱うのはデータとデータの関係性を分析する手法であり、②で扱うのは標本から法則性を推測する手法と、それが現実にあてはまっているかどうかをフィードバックして調べるための手法です。

─《チェックポイント》─

第1章のココだけは理解しよう！

◆問題◆

- ❏ 1-1　統計学は何のための技術？
- ❏ 1-2　母集団と標本は何が違う？
- ❏ 1-3　統計学の2大区分は？

◆解答◆

- ❏ 1-1　データを整理・分析し、法則性を引き出すための技術
- ❏ 1-2　母集団は、調べたい対象の全体。標本は、その中から一部を抜き出したもの
- ❏ 1-3　記述統計学と推測統計学

第 2 章
分布分析の基本

[ケース1]
架空の労働者34人の集団に関するデータ

図1　ケース1の原データ

番号	職　種	性別／勤務先規模	年齢（歳）
1	理容・美容師	女／100～999人	29
2	大学教授	女／1000人以上	48
3	販売店員(百貨店店員を除く)	男／100～999人	54
4	自然科学系研究者	男／1000人以上	36
5	記者	男／100～999人	37
6	高等学校教員	女／100～999人	41
7	百貨店店員	男／1000人以上	38
8	システムエンジニア	男／100～999人	33
9	高等学校教員	男／100～999人	45
10	自動車外交販売員	男／100～999人	35
11	一級建築士	女／100～999人	34
12	看護師	女／100～999人	35
13	看護師	女／10～99人	40
14	保険外交員	女／1000人以上	46
15	守衛	男／1000人以上	52
16	販売店員(百貨店店員を除く)	女／100～999人	36
17	営業用大型貨物自動車運転者	男／10～99人	42
18	医師	男／100～999人	44
19	タクシー運転者	男／1000人以上	51
20	旋盤工	男／100～999人	42
21	自然科学系研究者	男／100～999人	34
22	百貨店店員	女／100～999人	32
23	百貨店店員	女／1000人以上	35
24	娯楽接客員	男／100～999人	30
25	看護師	女／100～999人	51
26	スーパー店チェッカー	女／1000人以上	30
27	幼稚園教諭	女／1000人以上	31
28	システムエンジニア	女／100～999人	30
29	営業用バス運転者	男／100～999人	47
30	営業用普通・小型貨物自動車運転者	男／1000人以上	37
31	営業用大型貨物自動車運転者	男／100～999人	43
32	准看護師	女／100～999人	42
33	板金工	男／100～999人	35
34	システムエンジニア	男／100～999人	43

分布分析の基本

※この架空のデータは、34人の労働者の職種・性別・勤務先規模・年齢・勤続年数・月あたり所定内実労働時間・月あたり現金給与額・年間賞与等額・換算時給・換算年収を示している。年収は「現金給与額(円／月)×12＋年間賞与額(ボーナスなど)」で、1時間あたり所定内給与額は「現金給与額(円／月)÷所定内実労働時間数(時／月)」で計算。また、平成15年度の厚生労働省賃金構造基本統計調査における職種別平均値に近似するように作成した

勤続年数(年)	所定内実労働時間(時／月)	現金給与額(円／月)	年間賞与等(円)	1時間あたり所定内給与額(円)	年収額(換算値＝円)
4	185	242600	283300	1311	3194500
12	145	618600	2838800	4266	10262000
30	167	340000	522600	2036	4602600
10	157	436300	1737300	2779	6972900
13	156	476300	2005300	3053	7720900
20	162	397900	1862300	2456	6637100
16	166	329500	1012700	1985	4966700
10	158	369900	1150900	2341	5589700
21	163	474000	2385000	2908	8073000
12	168	304200	943500	1811	4593900
4	161	411600	616000	2557	5555200
14	161	307500	835500	1910	4525500
20	165	291700	705500	1768	4205900
17	142	224100	513600	1578	3202800
31	182	358300	1023400	1969	5323000
13	180	294300	522600	1635	4054200
22	177	317400	287900	1793	4096700
6	164	1081200	1324300	6593	14298700
23	172	279200	481800	1623	3832200
24	165	342300	878100	2075	4985700
9	158	373800	1414200	2366	5899800
9	164	204900	487100	1249	2945900
15	161	238000	676200	1478	3532200
4	172	274800	373500	1598	3671100
23	153	341500	835500	2232	4933500
8	169	203900	547200	1207	2994000
5	152	202800	488600	1341	2935400
7	155	299500	954200	1932	4548200
23	172	320200	801900	1862	4644300
9	174	356400	445700	2048	4722500
12	178	354200	444800	1990	4695200
9	161	280100	753300	1740	4114500
16	168	272300	438300	1621	3705900
14	174	412000	3240000	2368	8184000

図2　時給を基準に並び替えた表

番号	時給(円)	番号	時給(円)
26	1200	15	1969
22	1249	7	1985
1	1311	31	1990
27	1334	3	2036
23	1478	30	2048
14	1578	20	2075
24	1598	25	2232
33	1621	8	2341
19	1623	21	2366
16	1635	34	2368
32	1740	6	2456
13	1768	11	2557
17	1793	4	2779
10	1811	9	2908
29	1862	5	3053
12	1910	2	4266
28	1932	18	6593

※図1のデータを、時給に関して低い順番から並び替えたもの

図3　ケース1の度数分布表

時給(円)	計	累積度数	相対度数	累積相対度数
1000〜1250	2	2	0.058823529	0.058823529
1250〜1500	3	5	0.088235294	0.147058824
1500〜1750	6	11	0.176470588	0.323529412
1750〜2000	9	20	0.264705882	0.588235294
2000〜2250	4	24	0.117647059	0.705882353
2250〜2500	4	28	0.117647059	0.823529412
2500〜2750	1	29	0.029411765	0.852941176
2750〜3000	2	31	0.058823529	0.911764706
3000〜3250	1	32	0.029411765	0.941176471
4250〜4500	1	33	0.029411765	0.970588235
6500〜6750	1	34	0.029411765	1

図4　ケース1のデータのヒストグラム

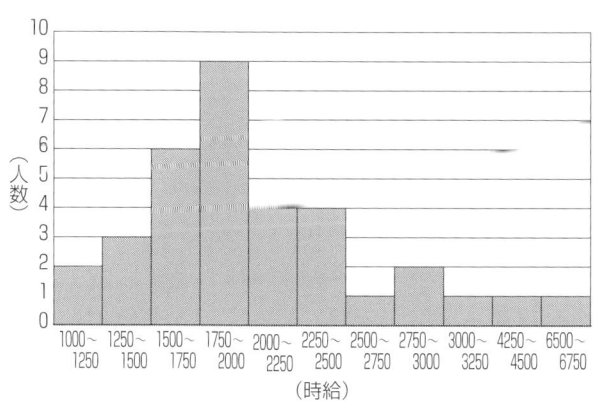

2-1 分布の表示

統計学の最初のステップとして、データの分布を表示する方法を考えます。データを分布するには、データを整理することから始めますが、その際、図示することによってデータの傾向を視覚的に把握できる場合が多いといえます。データを整理し、図示するには複数の方法がありますが、その代表例として**度数分布表**と**ヒストグラム**を紹介します。

28ページのケース1は、34人の労働者を集めてその職種・勤務時間・年収などについて調査し、結果をばらばらに記述したと想定したデータです（図1）。ここからさまざまな情報を引き出していきます。

ここでは、まず1時間あたり所定内給与額（以下、「時給」という）に注目します。

はじめに、この時給のデータについて度数分布表を作ります。度数分布表（図3）とは、ある観測値（この場合は年収）のとり得る値をいくつかの階級に分け、観測値を小さいほうから並び替え（図2）、それぞれの階級で度数がいくつあるかを数えて表にしたものです。ここでは以下のような値が考えられます。

①**累積度数**……データを小さい順に並べ、それを足し上げていったもの
②**相対度数**……データ全体の大きさを1に換算して、各階級の値の個数全体中での割合を示す。この値の便利な点は、母集団の大きさが変わっても相互に比較ができるこ

分布分析の基本

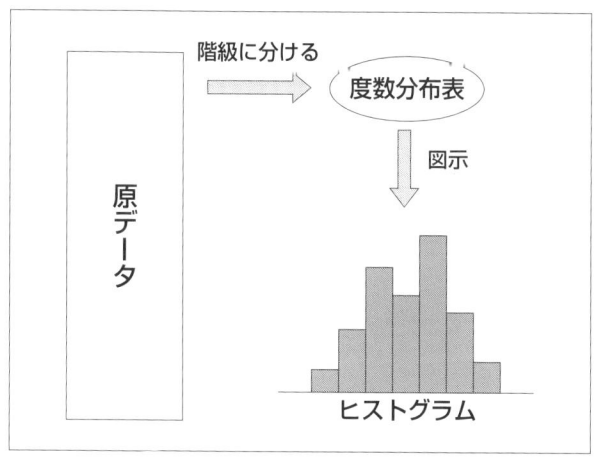

原データからヒストグラムまで

と。たとえば、上のような調査を全国規模で行われる労働統計と数で比較することは無意味だが、割合ならば対等に比較できる

③**累積相対度数**……相対度数を、累積度数と同様に小さいほうから足し上げていったもの。たとえば、「時給2000円以下の人の割合はどれぐらいか」といったことを見る場合には便利なものといえる

そして、これらをヒストグラムにすると、より分布の仕方が明らかとなります。それが図4です。

このようにして見ると、この母集団の時給は1750〜2000円の階級を頂点に、山形になっていることが一目でわかります。このような分布は、峰が1つの**単峰型**といい、度数分布の典型的なあり方です。

2-2 ヒストグラムの見方

　ヒストグラムを書くときには、注意すべき点があります。①階級の幅のとり方、②「外れ値」の問題の2つです。では、それぞれについて説明していきましょう。

①階級の幅のとり方

　一般的に、階級の幅が大きすぎても小さすぎてもグラフの形や頂点の位置がわかりにくくなり、母集団の性質をうまく図示することができません。つまり適当な幅は、試行錯誤によって決定するしかないのです（その際の目安として「スタージェスの公式」というものが知られているが、この方法も万能ではない。スタージェスの公式については付録参照）。

②「外れ値」の問題

　31ページの図4のヒストグラムでは右側に切れ目はありませんが、たとえば、この中に35人目として月収300万円、月労働時間200時間（便宜上、ボーナスはなしとする）の会社経営者が入ってきたとしたら、時給1万5000円となり、はるか右側にポツンと孤立することになります。

　このような場合には、次ページの左図のように、いくつかの階級をグラフの棒の面積が変わらないように合体させることによって、自然なヒストグラムにすることができます。

　この際、合体させた部分では、幅が広がった分、高さが減ることになります。なぜなら、それがなされないと、結

分布分析の基本

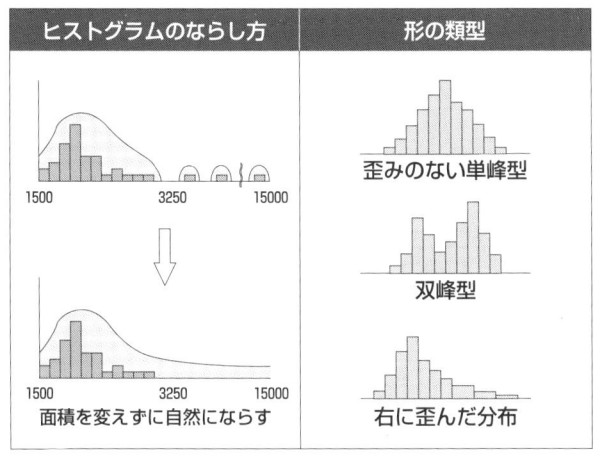

果としてデータの数が増えたことになってしまうからです。

次に、ヒストグラムの形の類型についてですが、この例のような単峰型分布だけでなく、左右対称でない分布や、峰が2つ以上ある**双峰型分布**になることもあります。

ケース1は、頂点の個数という点では確かに1つの単峰型ですが、どちらかというと右に裾を引いているように伸びた分布になっています。これを「右に歪んだ分布」といいます。そして、私たちがこのような分布に出会った場合には、何がそれをもたらしたのか考えるべきでしょう。

分布の問題については、後ほど再び詳しく述べることにして、次は数値計算について説明します。

2-3 代表値の決定① 〜平均値〜

ここからは、**代表値**によってデータを捉える方法について説明します。

これまで見てきた度数分布表やヒストグラムは、統計データの分布の性質を視覚的に捉えようとするものでしたが、代表値は分布を数量的に捉える指標であり、①平均値、②メディアン（分位点）、③モードの3つに分けられます。

①平均値

「平均」という言葉はなじみが深いものですが、統計学における「平均」には、主に**算術平均**と**幾何平均**の2種類があります。

算術平均は最も一般的なもの、つまり事象をすべて足して個数で割ったものです。28ページのケース1において、この34人の時給の平均は、図2の数字を上から足していって（1200＋1249＋…＋6593）÷34≒2161となります。これを一般的に書くと次のようになります。

$$算術平均\ \bar{x} = (x_1 + x_2 + \cdots + x_n) / n$$

一方、幾何平均は、一般的に倍率の平均を出すのに使われます。実際のビジネスシーンでは、金利や地価上昇率を計算する際に使用します。金利の計算は小数点以下の数が出てきてややこしくなるので、もっとわかりやすい例を挙げてみましょう。

はじめに2匹だったネズミが、1ヵ月後に18匹、2ヵ月

分布分析の基本

平均値の種類

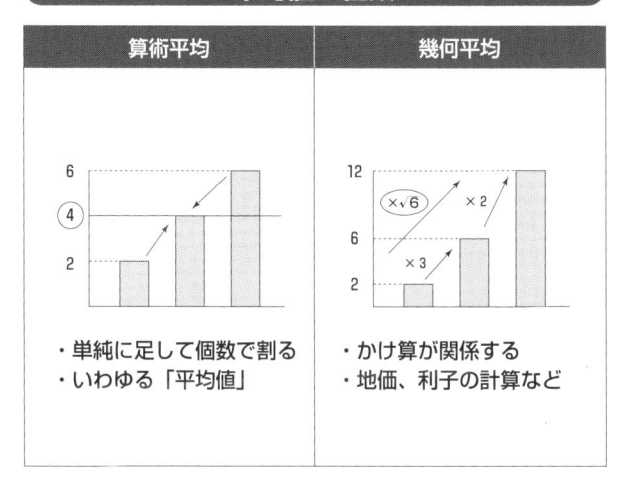

算術平均	幾何平均
・単純に足して個数で割る ・いわゆる「平均値」	・かけ算が関係する ・地価、利子の計算など

後に108匹、3年後に432匹になったとすると、1ヵ月に平均何倍で増加したといえるでしょうか。答えは、「$2 \times 6 \times 6 \times 6 = 432$」と表せる、つまり、毎年毎年6倍していったのと同じ結果になるので、平均6倍です。

これを算術平均の考え方で見て、「$2 \times 9 = 18$、$18 \times 6 = 108$、$108 \times 4 = 432$」なので、毎年の倍率を足して3で割り、「$(9 + 6 + 4) \div 3 = 6.333\cdots$」とすると、誤りとなります。

平均利率や平均地価上昇率も、これとまったく同じように算出していきます。幾何平均の式を一般的に書くと、次のようになります。

$$幾何平均 \mathrm{x} \ g = \sqrt[n]{x_1 \times x_2 \times \cdots x_n}$$

2-4 代表値の決定②
～メディアン（分位点）とモード～

②メディアン（分位点）

メディアンとは観測値を小さいものから順番に並べていったときに中央にくる値であり、中位数または中央数ともいいます。いい換えれば、累積相対度数がちょうど0.5となる値です。

データの大きさ（データの要素の数）が奇数の場合はちょうどその真ん中の値を、偶数の場合は真ん中にくる2つの値の算術平均をメディアンとします。これを式で書くと次のようになります。

メディアン $\bar{x}$ = x (m+1) （n = 2m+1のとき） or
　　　　　 {x (m) + x (m+1)} ÷ 2 （n = 2mのとき）

補足すると、x (m) とはデータ x_1、x_2…x_n を順番に並び替えたときに、小さいほうからm番目にくる値という意味です。mを適当な値として、n = 2m+1と表せるときにはnは奇数、n = 2mと表せるときにはnは偶数です。

ちなみにケース1では、メディアンは1950.5になります。実際に図2から計算してみてください。また、ここで同じ「代表値」でも、平均値2161とはずいぶん離れていることにも留意してください。

このメディアンの考え方を拡張したのが、分位点であり、その中でもとくによく使用されるのが四分位点です。これは観測値を小さいものから順に並べたとき、全体を4等分

メディアン、モード

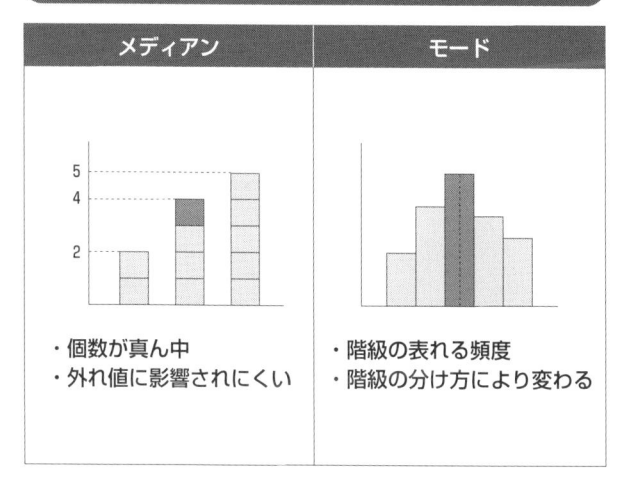

メディアン	モード
・個数が真ん中 ・外れ値に影響されにくい	・階級の表れる頻度 ・階級の分け方により変わる

して最小値からそれぞれ4分の1、2分の1、4分の3の点を第1四分位点、第2四分位点（＝メディアン）、第3四分位点と定義します。分位点が数値と数値の間にきてしまう場合は、メディアンの場合と同じく、その両端の数値の算術平均をあてはめます。

③モード

これはヒストグラムを書いたときに峰にあたる部分、つまり最もデータの大きい階級を示す数値です。最も表れる頻度が高いという意味で、**最頻値**とも呼びます。通常は、その階級の上限と下限の値の算術平均を**階級値**と定義し、階級値によって表します。ケース1では、（1750＋2000）÷2で、1875がモードになります。

2-5 代表値の使い分け

　最も頻繁に代表値として挙げられるのは、平均値・メディアン（分位点）・モードの3種類ですが、これらの数値をどのように使い分けるべきなのでしょうか。

　まずモードについていえるのは、これが平均やメディアンと違い、階級のとり方によって変わる数値だということです。

　モードの役割は、いわばヒストグラムにおける頂点を示すことです。そのヒストグラムは、場合によっては計算で証明しづらい現象の全体的傾向を視覚的に把握できる可能性があるという長所がある反面、階級のとり方をきちんとしないと、まったく意味のないものになってしまうという短所があります。モードについても同様です。また、分布が双峰型である場合、モードは有効な代表値とはいいがたいところがあります。

　私たちにとって最もなじみが深いのは、平均値、その中でも算術平均でしょう（以下、とくに断らない場合は「平均」は算術平均を指す）。事実、平均値は後に紹介する分散とともに、さまざまな統計的分析に欠かせないものです（詳細については第4章以降参照）。

　しかし、平均値が代表値として有効でない場合がしばしばあります。それは、分布が左右のいずれかに歪んでいる場合です。そういうときは、「外れ値」や、そこまではいかないにしても山の頂点から大きく離れた値の存在によっ

代表値の比較

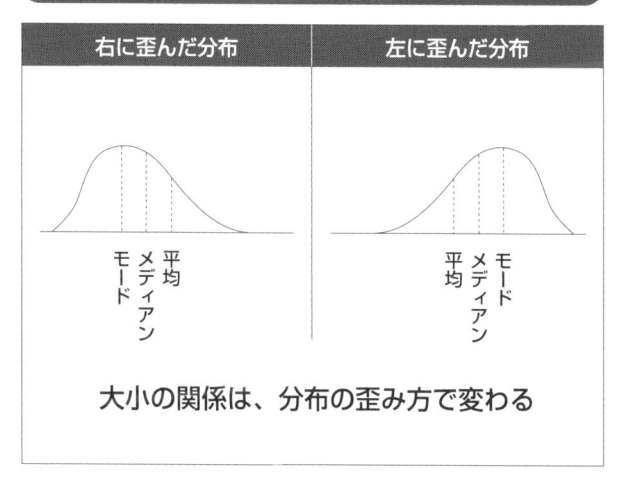

右に歪んだ分布	左に歪んだ分布
モード／メディアン／平均	平均／メディアン／モード

大小の関係は、分布の歪み方で変わる

て、結果が大きく変わってしまいます。

ケース1も同様です。たとえば、34人から時給が上位の2人（2番と18番）を除くと、分布はほぼ歪みのない分布になり、そのときの平均は約1956円です。しかし、先述のように時給1万5000円の会社経営者が35人目に入ってきたとしましょう。すると平均は約2528円となり、大きく変化してしまいます。これがほとんどの人にとって実態を表していない数値であることは明確でしょう。

一方、メディアンは、前者の場合1921円、後者の場合1932円とほとんど変わりません。このように、一般的に「外れ値」に左右されないという意味でメディアンが優れているといわれています。

2-6 ローレンツ曲線とジニ係数

　前項で見たような歪んだ分布は、「不平等」な分布といえます。不平等さを考えるツールとしては、**ローレンツ曲線とジニ係数**があります。

　前項の例は母集団が34人と少なく、1人や2人によって統計値が大きく変わる極端なケースです。しかしながら、日本全体といった大きなレベルでも、このような歪んだ分布は存在しているのです。その最も有名な例が、日本人の貯蓄高についての調査です（44〜45ページの図参照）。

　平成12年度の調査で日本人の平均貯蓄高が約1448万円と発表され、多くの人が驚きを覚えました。しかし、このとき実は、メディアンは約920万円、つまり、日本人を貯蓄額順に並べた際に、真ん中にくる人の貯蓄額は約920万円だったのです。

　このようになってしまったのは、少数の人々が極めて高額の貯金を保持しているためです。しかも、このとき最も層が厚い階級、すなわちモードは200〜300万円くらいの範囲にあったと推定されています。多くの人が平均値だけを見て驚きを覚えたのは当然の成り行きだった、というわけです。

　この例に限らず、一般的に金銭が絡む統計に関しては、右に歪んだ分布になりやすいことが知られています。

　結論をいうと、歪みの少ない分布ほど、平均値・メディアン・モードが近くなります。そして歪みがある場合、右

日本人の貯蓄残高の累積分布

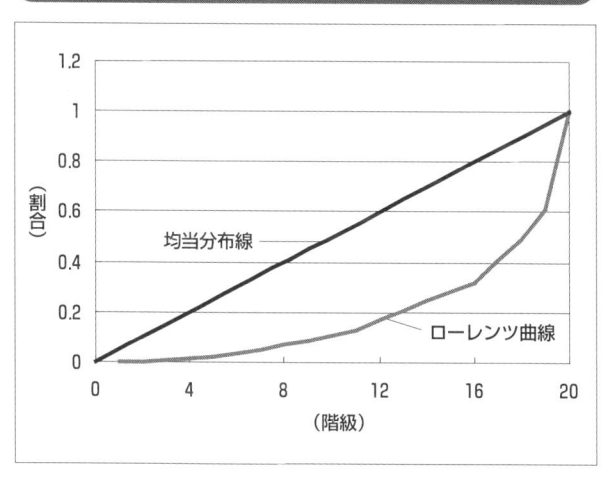

に歪んだ分布の場合は平均値≧メディアン≧モードの順に、左の場合はこの逆になります。

このようなケースで、分布の「不平等さ」を示す指標が「ローレンツ曲線」と「ジニ係数」です。

ローレンツ曲線とは、累積相対度数を組み合わせてカーブ状にしたもので、このカーブの曲がり方が激しいほど、分布が不平等であることを示します。

そして、図の対角線状の直線(均等分布線)とローレンツ曲線で囲まれた部分の面積をA、均等分布線と縦横の軸がつくる三角形の面積をBとすると、A/Bがその度合いを表します。これをジニ係数といい、不平等さの基準としてよく使われます。

MBA Statistics

平成12年における貯蓄保有額の分布

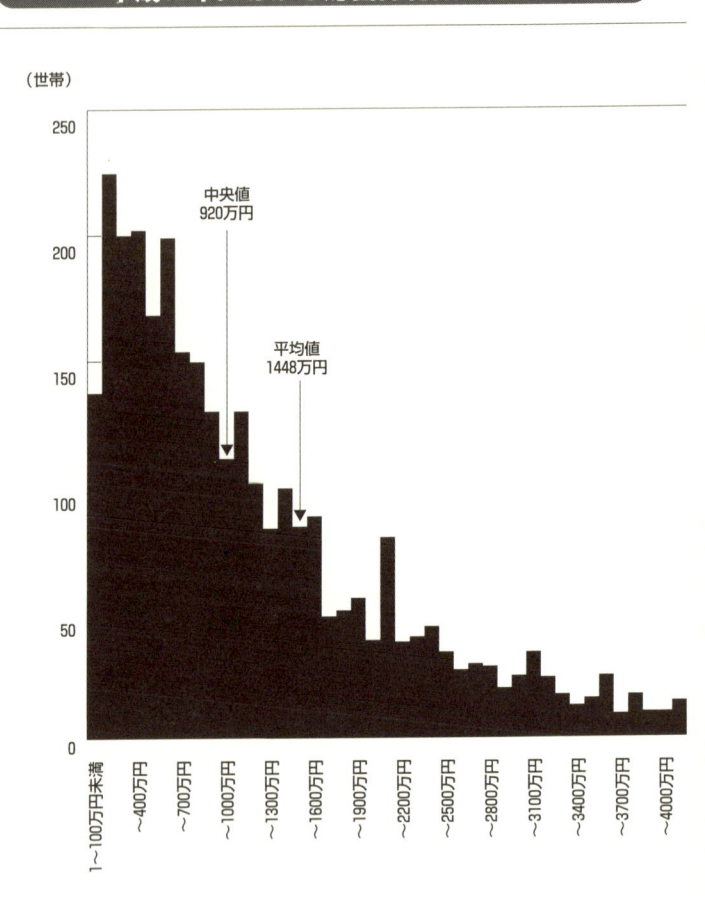

(世帯)

中央値
920万円

平均値
1448万円

1～100万円未満　～400万円　～700万円　～1000万円　～1300万円　～1600万円　～1900万円　～2200万円　～2500万円　～2800万円　～3100万円　～3400万円　～3700万円　～4000万円

出典:「家計の金融資産に関する世論調査　平成12年」(旧名称「貯蓄と消費に関する世論調査」)
金融広報中央委員会 (http://www.saveinfo.or.jp/down/per2000/yoron00.exe)

分布分析の基本

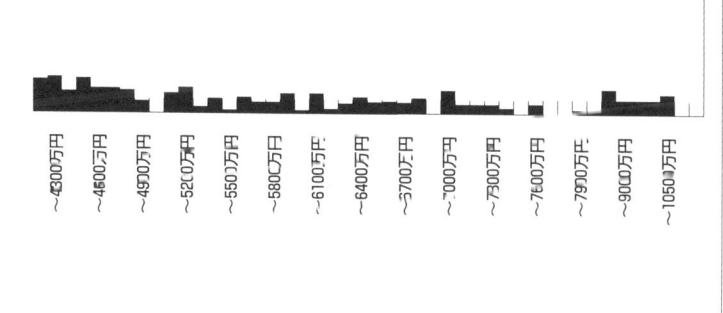

区間	
~4300万円	
~4600万円	
~4900万円	
~5200万円	
~5500万円	
~5800万円	
~6100万円	
~6400万円	
~6700万円	
~7000万円	
~7300万円	
~7600万円	
~7900万円	
~9000万円	
~10500万円	

2-7 ばらつきの測定①
～分散・標準偏差と変動係数～

代表値の次は、データがどれくらい散らばっているかの指標について説明します。その最も一般的な指標が**分散**であり、次の式で表されます。

分散 $V(x) = \{(x_1 - \bar{x})^2 + (x_2 - \bar{x})^2 + \cdots (x_n - \bar{x})^2\} \div n$

この式を導くに至った考え方を3段階に分けて説明すると、次のようになります。

①データのばらつきを見るためには、個々のデータが平均値からどれくらい離れているか（これを偏差という）を見ればよいのではないかと予測されます。すなわち $(x_1 - \bar{x}) + (x_2 - \bar{x}) + \cdots (x_n - \bar{x})$ を考えます。

②ところが、平均値をn倍すると $x_1 \sim x_n$ の合計値になるので、この合計式の値は常に0になってしまいます。

③そこで、各xiと平均との差を2乗します（iには1からnまでの数値が入り、1つひとつのデータを示す）。これですべての項が正の値になり、問題は解決します。

これに従って計算すると、ケース1の時給の分散は約947.584（円）^{2} です。しかし、これでは単位が元の単位を2乗したものになってしまうので、平方根（ルート）をとって元に戻します。その元に戻したものを**標準偏差**といい、「$\sigma(x)$」で表します。

$$標準偏差 = \sqrt[n]{V(x)} = \sigma(X)$$

分布分析の基本

分散と標準偏差

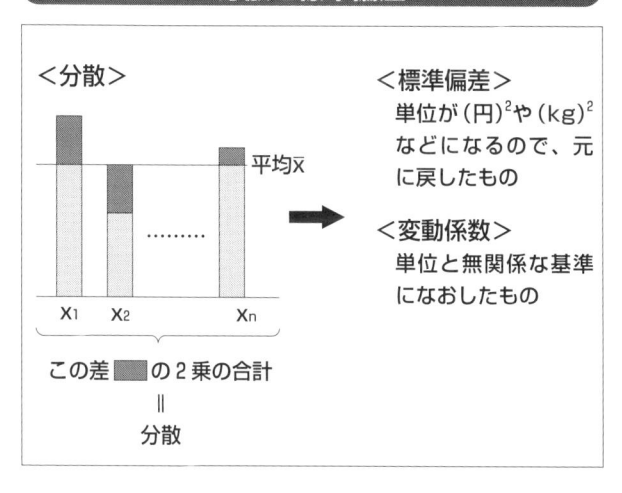

<分散>

平均 $\bar{x}$

x_1　x_2　……　x_n

この差 ■ の2乗の合計
＝
分散

<標準偏差>
単位が(円)^{2}や(kg)^{2}などになるので、元に戻したもの

<変動係数>
単位と無関係な基準になおしたもの

たとえばケース1の時給の標準偏差は約974となります。

標準偏差は今後しばしば使用する重要な指標ですが、それは単位の変換によって印象がまったく変わってしまう可能性があります。たとえば、ケース1の時給を仮に1ドル＝120円として標準偏差を出すと約8.2となり、実質は変わらないのに、かなり小さくなったかのような印象を受けます。

これを補正するのに使用されるのが変動係数で、(標準偏差 $\sigma(X)$ ÷ 平均 $\bar{x}$)％で表されます。この場合、どちらも約45.7％となり、差は生じません。

些細なことのようですが、このように数値の絶対値を操作することで印象を変える「統計のうそ」がしばしば見受けられるので、注意しなければなりません。

2-8 ばらつきの測定② ～標準化と偏差値～

ここでは、さまざまなデータのバラつきを**標準偏差**という基準で統一的に見る方法を説明します。それが、各データの偏差を標準偏差で割った **Z 得点**です。

$$Z得点 Z_i = (x_i - \bar{x}) \div \sigma(X)$$

そして、データの分布が**正規分布**(第5章で解説しますが、単峰でなだらかな分布の一種だと考えてください)であるとき、その Z 得点を**標準得点**といい、この一連の作業を**標準化**といいます。

標準得点のメリットは、各データの数値を平均値から標準偏差いくつ分離れているかで表すことができる点です。この性質は、後述する推定・検定の際に重要な概念となってきます。また、標準得点の平均値は 0、分散(標準偏差)は 1 になるという特徴があります。

ここでは、この標準得点を使った有名な数値として偏差値を紹介します。偏差値といえば、学生のテストで話題になることが多いものですが、その定義は、標準得点を元にデータを平均50、標準偏差10になるよう変換したものです。その式は次のようになります。

$$偏差値 T_i = 10 Z_i + 50$$

原理については後述しますが、仮に母集団が完全な正規分布だったとすると、T_i が $26 < T_i < 74$ の範囲にくる確率

標準化と偏差値

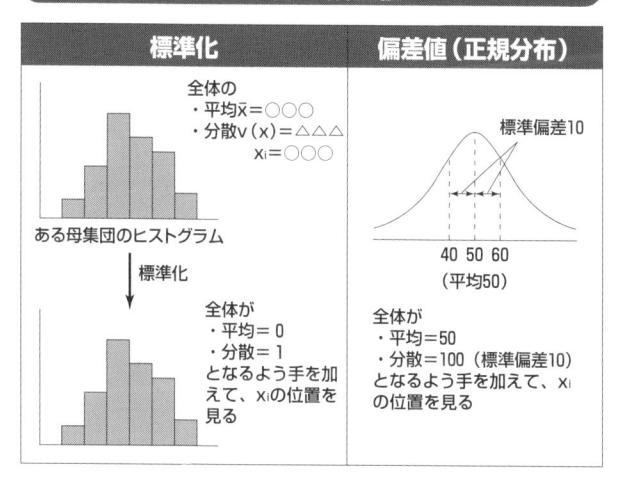

標準化

ある母集団のヒストグラム

全体の
・平均 $\bar{x}$ ＝○○○
・分散 $v(x)$ ＝△△△
　　　　x_i ＝○○○

↓標準化

全体が
・平均＝0
・分散＝1
となるよう手を加えて、x_iの位置を見る

偏差値（正規分布）

標準偏差10

40　50　60
（平均50）

全体が
・平均＝50
・分散＝100（標準偏差10）
となるよう手を加えて、x_iの位置を見る

が99％を超えます。そして、偏差値が0より小さくなったり、100より大きくなったりすることは、理論上は非常に小さい確率でしかあり得ません（現実には「外れ値」が存在すればあり得る）。つまり、ほぼ0から100の間でデータの位置を確認できるのでわかりやすいというわけです。

　ここで、最初に偏差値の基準として一般的なZ得点ではなく標準得点と限定したのは、実は偏差値は分布の歪みが大きいと、現実的でない値を出すからです。それは、分布が大きく歪んでいるときは、そもそも平均値が代表値として適当でないことからも明白です。実際には、偏差値は集団内での相対的位置を示す指標として有効な場合が多いのですが、母集団の性質によっては信頼できないかもしれない相対的な指標であることにも注意が必要です。

― 《チェックポイント》 ―
第2章のココだけは理解しよう！

◆問題◆
- ❏2-1 度数分布表はどんなもの？
- ❏2-2 左右対称でない分布を何という？
- ❏2-3 平均値には2種類あるが、何と何？
- ❏2-4 メディアンとモードって、何？
- ❏2-5 外れ値に左右されにくい代表値は？
- ❏2-6 ローレンツ曲線のカーブの曲がり方が激しいことは、何を意味する？
- ❏2-7 分散と標準偏差の関係は？
- ❏2-8 標準化されたデータの平均値と分散は？

◆解答◆
- ❏2-1 ある観測値のとり得る値をいくつかの階級に分け、観測値を小さいほうから並び替え、それぞれの階級で度数がいくつあるかを数えて表にしたもの
- ❏2-2 歪んだ分布
- ❏2-3 算術平均と幾何平均
- ❏2-4 メディアンは、観測値を小さいものから順番に並べていったときに、中央にくる数値。モードは、ヒストグラムを書いたときに峰にあたる部分、つまり最もデータの大きい階級を示す数値
- ❏2-5 メディアン
- ❏2-6 ジニ係数が大きい、つまり不平等が大きいこと
- ❏2-7 分散を平方根（ルート）すると、標準偏差になる
- ❏2-8 平均値が0、分散が1

第2部
統計学の基本知識

■**第2部で学ぶこと**■

　第2部「統計学の基本知識」は、本書の中心部分であり、近代統計学といわれる手法の基本について概観します。

　この中で、第3章は記述統計学、第5章と第6章は推測統計学と一般に呼ばれる領域を扱います。また、第4章では両者の橋渡しとして、標本について考えています。

　以下、その流れについてより詳しく述べましょう。

　第3章「データ間の関係を捉える」では、まず2種類のデータの関係を分析する手法を説明します。

　ビジネスシーンにおいては、単にデータの性質を見るだけでなく、それが他のデータとどういう関係にあるのか、どのくらい関係が強いのかを明らかにすることが重要です。それによって、過去のデータの蓄積を今後の戦略に生かすことができます。

　さらに3－8から3－10にかけては、時間のさまざまな単位から、データの長期的傾向を捉える手法について説明します。短期の変動に惑わされない長期的予測を立てることが、経営戦略において重要になります。

　第4章「信頼性のある標本を作成する」では、標本の抽出に関して述べます。

　ビジネスの現場では、限られた資金と時間の制約のうえで、可能な限り正しい予測を行わなければなりません。そこで、調査対象となる全データを調査するのではなく、そ

の性質をうまく捉えた標本を抽出することが重要となってきます。

しかし同時に、データ全体と同じ標本をとることはできず、誤差というリスクが生じることになります。そこで第4章では、主に調査プロセスの改善努力などによって避けられる誤差について説明します。

第5章「標本から母集団を推定する」では、一部の標本から全体を推測する際方法を紹介します。

たとえば、消費者アンケートを行ったとしても、それが消費者全体の意見を正しく反映しているとは限りませんし、製品管理を徹底したとしても、絶対に不良品が発生しないとはいい切れません。それは前述したように、現場で利用できる資金・時間資源は限られているため、完璧な調査は行えないからです。

この現実に対して重要なのは、出てきたアウトプットに盲目的にとらわれることや、逆にカンや経験といったものに頼って客観的数値を無視することでもありません。調査結果がデータ全体の結果とズレている確率をも含めて予測し、冷静な意思決定を下すことです。

第6章「仮説の正しさを検定する」では、第5章とは逆に、実際のデータを調べて、母集団に対する推測が正しいかどうかを検定する方法を紹介します。

さらに、推測を行うだけではなく、それが正しいかどうかをチェックしていくことも重要になります。

第 5 章と第 6 章の内容を理解することによって、そのような意思決定のあり方に対する、統計学の観点からの道筋をつかむことができるでしょう。つまり、誤差が生じるリスクを考慮に入れて、意思決定を行うことができるのです。

第 3 章
データ間の
関係を捉える

MBA Statistics

[ケース2]
架空の労働者34人の集団に関するデータ

図5　ケース2の原データ

番号	職　　種	性別／勤務先規模	年齢(歳)
1	理容・美容師	女／100～999人	29
2	大学教授	女／1000人以上	48
3	販売店員(百貨店店員を除く)	男／100～999人	54
4	自然科学系研究者	男／1000人以上	36
5	記者	男／100～999人	37
6	高等学校教員	女／100～999人	41
7	百貨店店員	男／1000人以上	38
8	システムエンジニア	男／100～999人	33
9	高等学校教員	男／100～999人	45
10	自動車外交販売員	男／100～999人	35
11	一級建築士	女／100～999人	34
12	看護師	女／100～999人	35
13	看護師	女／10～99人	40
14	保険外交員	女／1000人以上	46
15	守衛	男／1000人以上	52
16	販売店員(百貨店店員を除く)	男／100～999人	36
17	営業用大型貨物自動車運転者	男／10～99人	42
18	医師	男／100～999人	44
19	タクシー運転者	男／1000人以上	51
20	旋盤工	男／100～999人	42
21	自然科学系研究者	男／100～999人	34
22	百貨店店員	女／100～999人	32
23	百貨店店員	女／1000人以上	35
24	娯楽接客員	男／100～999人	30
25	看護師	女／100～999人	51
26	スーパー店チェッカー	女／1000人以上	30
27	幼稚園教諭	女／1000人以上	31
28	システムエンジニア	女／100～999人	30
29	営業用バス運転者	男／100～999人	47
30	営業用普通・小型貨物自動車運転者	男／1000人以上	37
31	営業用大型貨物自動車運転者	男／100～999人	43
32	准看護師	女／100～999人	42
33	板金工	男／100～999人	35
34	システムエンジニア	男／100～999人	43

データ間の関係を捉える

※この架空のデータは、34人の労働者の職種・性別・勤務先規模・年齢・勤続年数・月あたり所定内実労働時間・月あたり現金給与額・年間賞与等額・換算時給・換算年収を示している。年収は「現金給与額(円/月)×12＋年間賞与額(ボーナスなど)」で、1時間あたり所定内給与額は「現金給与額(円/月)÷所定内実労働時間数(時/月)」で計算。また、平成15年度の厚生労働省賃金構造基本統計調査における職種別平均値に近似するように作成した

勤続年数 (年)	所定内実労働時間 (時/月)	現金給与額 (円/月)	年間賞与等 (円)	1時間あたり所 定内給与額(円)	年収額 (換算値＝円)
4	185	242600	283300	1311	3194500
12	145	618600	2838800	4266	10262000
30	167	340000	522600	2036	4602600
10	157	436300	1737300	2779	6972900
13	156	476300	2005300	3053	7720900
20	162	397900	1862300	2456	6637100
16	166	329500	1012700	1985	4966700
10	158	369900	1150900	2341	5589700
21	163	474000	2385000	2908	8073000
12	168	304200	943500	1811	4593900
4	161	411600	616000	2557	5555200
14	161	307500	835500	1910	4525500
20	165	291700	705500	1768	4205900
17	142	224100	513600	1578	3202800
31	182	358300	1023400	1969	5323000
13	180	294300	522600	1635	4054200
22	177	317400	287900	1793	4096700
6	164	1081200	1324300	6593	14298700
23	172	279200	481800	1623	3832200
24	165	342300	878100	2075	4985700
9	158	373800	1414200	2366	5899800
9	164	204900	487100	1249	2945900
15	161	238000	676200	1478	3532200
4	172	274800	373500	1598	3671100
23	153	341500	835500	2232	4933500
8	169	203900	547200	1207	2994000
5	152	202800	488600	1341	2935400
7	155	299500	954200	1932	4548200
23	172	320200	801900	1862	4644300
9	174	356400	445700	2048	4722500
12	178	354200	444800	1990	4695200
9	161	280100	753300	1740	4114500
16	168	272300	438300	1621	3705900
14	174	412000	3240000	2368	8184000

図6 ケース2のデータから作成した散布図①（年齢と勤続年数の関係）

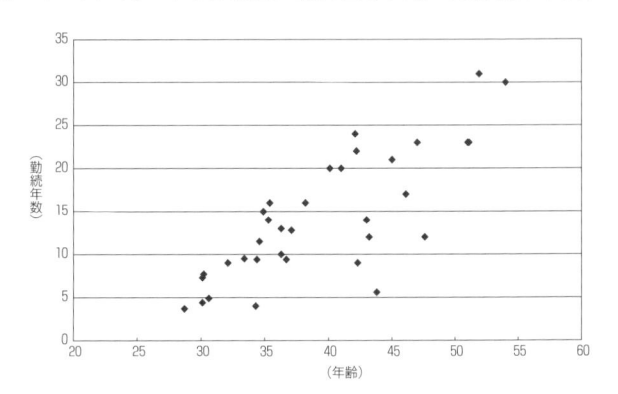

図7 ケース2のデータから作成した散布図②（月労働時間と年収の関係）

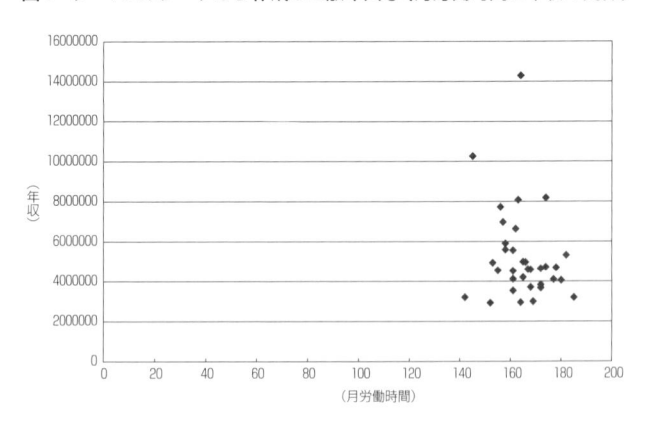

図8　ケース2のデータによる分割表の例

勤務先規模＼性別	男	女	計
1000人以上	5	5	10
1000人未満	15	9	24
計	20	14	34

図9　ケース2のデータから作成した散布図③（年収と時給の関係）

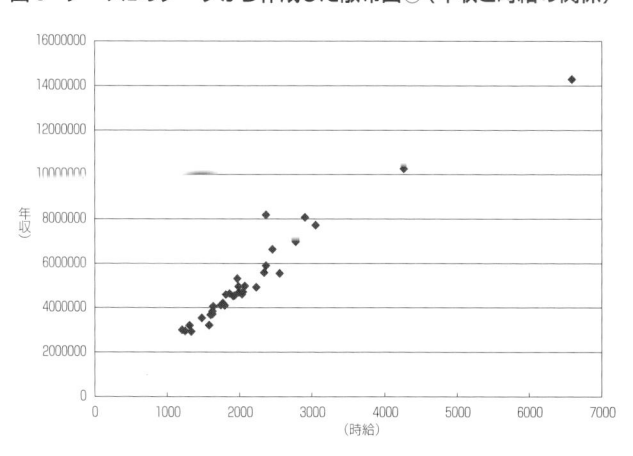

MBA Statistics

[ケース3]
ある商店の売上と、その他の変数に関するデータ

図10　ケース3の原データ

日付	曜日	天気	最高気温	アイスクリーム売上	ビール・発泡酒売上
1	月	晴れ	30.1℃	56973円	75641円
2	火	晴れ	33.2℃	60481円	87512円
3	水	晴れ	32.0℃	57442円	76225円
4	木	雨	28.2℃	53157円	66834円
5	金	晴れ	30.6℃	54757円	76021円
6	土	晴れ	33.6℃	60407円	99014円
7	日	晴れ	33.9℃	59184円	104321円
8	月	晴れ	31.2℃	57115円	79046円
9	火	晴れ	29.6℃	55341円	78704円
10	水	晴れ	28.4℃	53900円	72861円
11	木	晴れ	28.8℃	54492円	72724円
12	金	晴れ	30.4℃	57348円	71519円
13	土	晴れ	31.9℃	57669円	93843円
14	日	雨	29.4℃	53228円	88982円
15	月	晴れ	29.3℃	54896円	71827円
16	火	晴れ	33.4℃	59582円	86187円
17	水	晴れ	34.5℃	61625円	83909円
18	木	晴れ	32.9℃	58436円	81448円
19	金	晴れ	31.1℃	56879円	81301円
20	土	雨	30.2℃	55781円	89933円
21	日	晴れ	30.5℃	57191円	94218円
22	月	晴れ	29.2℃	53937円	77785円
23	火	雨	27.3℃	50667円	67790円
24	水	雨	30.2℃	54188円	79957円
25	木	晴れ	33.5℃	58150円	88776円
26	金	晴れ	29.7℃	55416円	71436円
27	土	雨	28.9℃	54639円	88703円
28	日	晴れ	29.1℃	54692円	88258円
29	月	晴れ	30.1℃	57177円	73395円
30	火	晴れ	30.4℃	53943円	71475円
31	水	晴れ	31.3℃	55872円	80683円

データ間の関係を捉える

図11 ケース3のデータから平日のみを抜き出した表

日付	曜日	天気	最高気温	アイスクリーム売上	ビール・発泡酒売上
1	月	晴れ	30.1℃	56973円	75641円
2	火	晴れ	33.2℃	60481円	87512円
3	水	晴れ	32.0℃	57442円	76225円
4	木	雨	28.2℃	53157円	66834円
5	金	晴れ	30.6℃	54757円	76021円
8	月	晴れ	31.2℃	57115円	79046円
9	火	晴れ	29.6℃	55341円	78704円
10	水	晴れ	28.4℃	53900円	72861円
11	木	晴れ	28.8℃	54492円	72724円
12	金	晴れ	30.4℃	57348円	71519円
15	月	晴れ	29.3℃	54896円	71827円
16	火	晴れ	33.4℃	59582円	86187円
17	水	晴れ	34.5℃	61625円	83909円
18	木	晴れ	32.9℃	58436円	81448円
19	金	晴れ	31.1℃	56879円	81301円
22	月	晴れ	29.2℃	53937円	77785円
23	火	雨	27.3℃	50667円	67790円
24	水	雨	30.2℃	54188円	79957円
25	木	晴れ	33.5℃	58150円	88776円
26	金	晴れ	29.7℃	55416円	71436円
29	月	晴れ	30.1℃	57177円	73395円
30	火	晴れ	30.4℃	53943円	71475円
31	水	晴れ	31.3℃	56177円	76926円

データ間の関係を捉える

図12 ケース3のデータに基づく最高気温と
ビール・発泡酒売上の関係

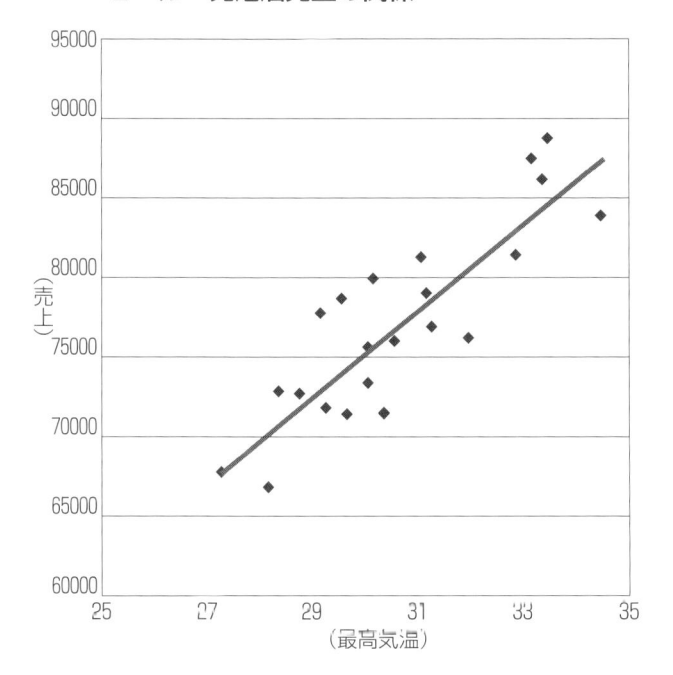

MBA Statistics

[ケース4]
消費者物価指数の変遷

図13 ケース4の原データ

年	総合 指数	総合 前年比	年	総合 指数	総合 前年比
46	33.9	6.3	63	87.3	0.7
47	35.5	4.9	平成元年	89.3	2.3
48	39.6	11.7	2	92.1	3.1
49	48.8	23.2	3	95.1	3.3
50	54.5	11.7	4	96.7	1.6
昭和51年	59.7	9.4	5	98.0	1.3
52	64.5	8.1	6	98.6	0.7
53	67.3	4.2	7	98.5	—0.1
54	69.8	3.7	8	98.6	0.1
55	75.2	7.7	9	100.4	1.8
56	78.8	4.9	10	101.0	0.6
57	81.1	2.8	11	100.7	—0.3
58	82.5	1.9	12	100.0	—0.7
59	84.4	2.3	13	99.3	—0.7
60	86.1	2.0	14	98.4	—0.9
61	86.7	0.6	15	98.1	—0.3
62	86.7	0.1	16	98.1	0.0

※基準年平成12年を100としたときの、消費者物価指数の総合指数の変遷

図14　ケース4の折れ線グラフによる表示

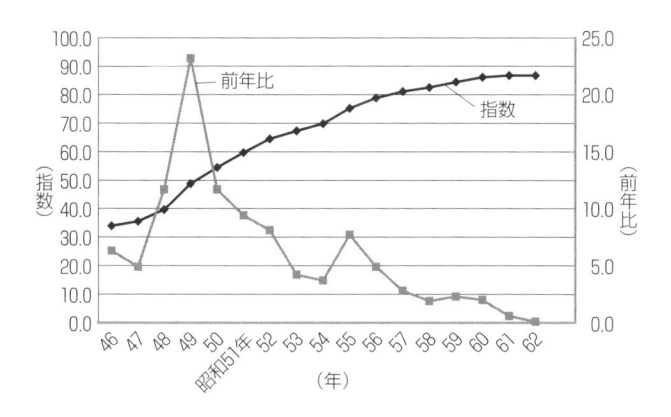

[ケース5]
円相場の推移

図15　ケース5の原データ

日付	終値	3ヵ月移動平均	12ヵ月移動平均	中心化12ヵ月移動平均
2005/ 5 /18	106.91			
2005/ 4 /29	104.84	107.21		
2005/ 3 /30	107.51	105.015		
2005/ 2 /25	105.19	105.425		
2005/ 1 /28	103.34	104.135		
2004/12/30	103.08	103.085	107.845	
2004/11/29	102.83	104.45	107.115	107.48
2004/10/29	105.82	106.845	108.985	108.05
2004/ 9 /29	110.86	107.505	104.715	106.85
2004/ 8 /31	109.19	111.085	106.215	105.465
2004/ 7 /30	111.31	108.985	104.375	105.295
2004/ 6 /30	108.78	110.35	105.09	104.7325
2004/ 5 /31	109.39	109.62	107.72	106.405
2004/ 4 /30	110.46	106.815	110.39	109.055
2004/ 3 /31	104.24	109.775	110.325	110.3575
2004/ 2 /27	109.09	104.955	114.14	112.2325
2004/ 1 /30	105.67	108.22	114.65	114.395
2003/12/31	107.35	107.645	114.585	114.6175
2003/11/28	109.62	108.635	114.88	114.7325
2003/10/31	109.92	110.54	111.595	113.2375
2003/ 9 /30	111.46	113.445	113.52	112.5575
2003/ 8 /29	116.97	115.99	111.885	112.7025
2003/ 7 /31	120.52	118.375	113.605	112.745
2003/ 6 /30	119.78	119.91	114.19	113.8975
2003/ 5 /30	119.3	119.365	116.19	115.19
2003/ 4 /30	118.95	118.625	116.96	116.575
2003/ 3 /31	117.95	118.525	119.315	118.1375
2003/ 2 /28	118.1	118.905	119.44	119.3775
2003/ 1 /31	119.86	118.43	119.81	119.625
2002/12/31	118.76	121.16	119.42	119.615
2002/11/29	122.46	120.61	121.595	120.5075
2002/10/31	122.46	122.06	123.255	122.425
2002/ 9 /30	121.66	120.41	125.415	124.335
2002/ 8 /30	118.36	120.75	126.61	126.0125
2002/ 7 /31	119.84	118.95	126.72	126.665
2002/ 6 /28	119.54	122.04	127.06	126.89
2002/ 5 /31	124.24	124.05	122.97	125.015
2002/ 4 /30	128.56	128.485	122.04	122.505
2002/ 3 /29	132.73	130.96	118.96	120.5
2002/ 2 /28	133.36	133.705	119.315	119.1375
2002/ 1 /31	134.68	132.51	122.165	120.74

データ間の関係を捉える

日付	終値	3ヵ月移動平均	12ヵ月移動平均	中心化12ヵ月移動平均
2001/12/31	131.66	129.08	124.445	123.305
2001/11/30	123.48	127.04	123.895	124.17
2001/10/31	122.42	121.52	128.105	126
2001/ 9 /28	119.56	120.605	129.845	128.975
2001/ 8 /31	118.79	122.175	126.025	127.935
2001/ 7 /31	124.79	121.72	124.115	125.07
2001/ 6 /29	124.65	122.01	118.945	121.53
2001/ 5 /31	119.23	124.065	116.41	117.6775
2001/ 4 /30	123.48	122.78	114.195	115.3025
2001/ 3 /31	126.33	120.425	113.465	113.83
2001/ 2 /28	117.37	121.45	115.73	114.5975
2001/ 1 /31	116.57	115.89	117.04	116.385
2000/12/29	114.41	113.485	112.675	114.8575
2000/11/30	110.4	111.62	115.565	114.12
2000/10/31	108.83	109.27	117.255	116.41
2000/ 9 /29	108.14	107.75	110.075	113.665
2000/ 8 /31	106.67	108.785	113.445	111.76
2000/ 7 /31	109.43	106.395	110.865	112.155
2000/ 6 /30	106.12	108.54	106.455	108.66
2000/ 5 /31	107.65	107.15	105.49	105.9725
2000/ 4 /28	108.18	105.215	106.12	105.805
2000/ 3 /31	102.78	109.25	106.565	106.3425
2000/ 2 /29	110.32	105.05	109.575	108.07
2000/ 1 /31	107.32	106.415	110.325	109.95
1999/12/31	102.51	104.735	114.375	112.35
1999/11/30	102.15	103.305	114.985	114.68
1999/10/29	104.1	104.305	111.125	113.055
1999/ 9 /30	106.46	106.91	114.61	112.8675
1999/ 8 /31	100.72	110.495	113.26	113.935
1999/ 7 /30	114.53	115.41	109.42	111.34
1999/ 6 /30	121.1	118.16	107.875	108.6475
1999/ 5 /31	121.79	120.286	113.52	110.6975
1999/ 4 /30	119.47	120.345	111.215	112.3675
1999/ 3 /31	118.9	119.335	123.085	117.15
1999/ 2 /26	119.2	117.615	126.915	125
1999/ 1 /29	116.33	116.4	132.88	129.8975
1998/12/31	113.6	119.635	130.28	131.58
1998/11/30	122.94	114.785	129.135	129.7075
1998/10/30	115.97	129.695	125.885	127.51
1998/ 9 /30	136.45	127.635	126.135	126.01
1998/ 8 /31	139.3	140.555	121.215	123.675

MBA Statistics

日付	終値	3ヵ月移動平均	12ヵ月移動平均	中心化12ヵ月移動平均
1998/ 7 /31	144.66	139.035	120.325	120.77
1998/ 6 /30	138.77	141.73	126.76	123.5425
1998/ 5 /29	138.8	135.82	121.91	124.335
1998/ 4 /30	132.87	135.935	128.46	125.185
1998/ 3 /31	133.07	129.485	129.905	129.1825
1998/ 2 /27	126.1	130.06	132.805	131.355
1998/ 1 /30	127.05	128.34	128.66	130.7325
1997/12/31	130.58	127.45	126.685	127.6725
1997/11/28	127.85	125.525	124.595	125.64
1997/10/31	120.47	124.18	130.085	127.34
1997/ 9 /30	120.51	120.71	124.945	127.515
1997/ 8 /29	120.95	119.53	123.715	124.33
1997/ 7 /31	118.55	117.76	125.945	124.83
1997/ 6 /30	114.57	117.435	121.775	123.86
1997/ 5 /30	116.32	120.835	117.16	119.4675
1997/ 4 /30	127.1	120.055	117.29	117.225
1997/ 3 /31	123.79	123.74	116.17	116.73
1997/ 2 /28	120.38	122.55	113.725	114.9475
1997/ 1 /30	121.31	118.04	110.695	112.21
1996/12/31	115.7	117.58	113.02	111.8575
1996/11/29	113.85	114.885	117.585	115.3025
1996/10/31	114.07	112.62	114.46	116.0225
1996/ 9 /30	111.39	111.485	113.82	114.14
1996/ 8 /30	108.9	109.105	113.265	113.5425
1996/ 7 /31	106.82	109.31	111.37	112.3175
1996/ 6 /28	109.72	107.445	108.68	110.025
1996/ 5 /30	108.07	107.425	108.055	108.3675
1996/ 4 /30	105.13	107.665	106.675	107.365
1996/ 3 /29	107.26	105.175	104.31	105.4925
1996/ 2 /29	105.22	107.15	102.14	103.225
1996/ 1 /31	107.04	104.365	99.08	100.61
1995/12/29	103.51	104.54	96.35	97.715
1995/11/30	102.04	102.735	94.87	95.61
1995/10/31	101.96	100.88		
1995/ 9 /29	99.72	99.71		
1995/ 8 /31	97.46	94.08		
1995/ 7 /31	88.44	91.045		
1995/ 6 /30	84.63	86.525		
1995/ 5 /31	84.61			

データ間の関係を捉える

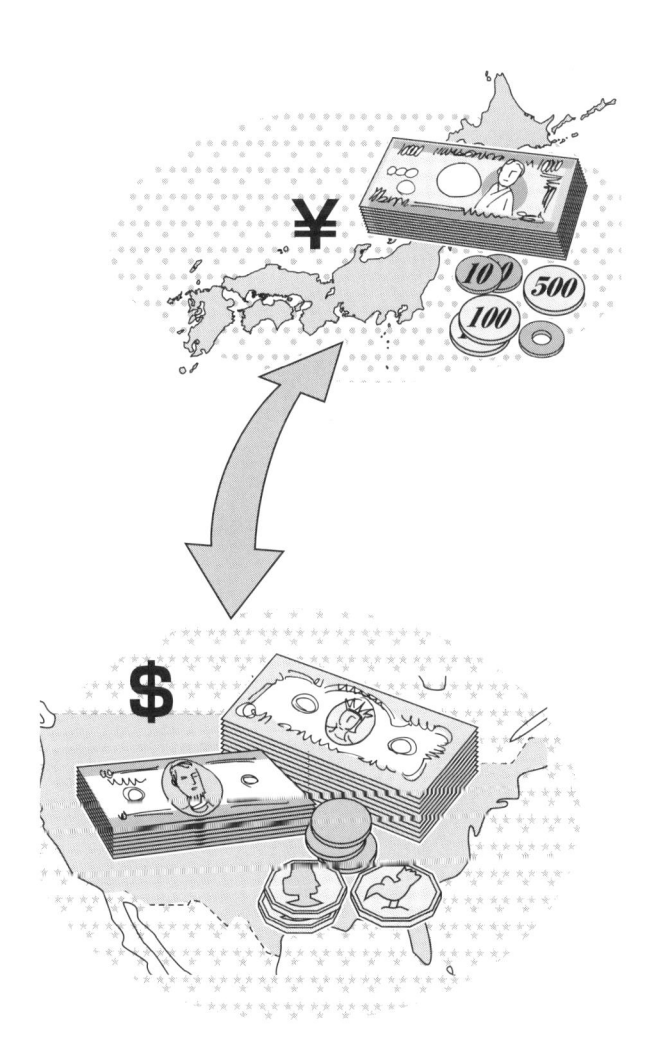

図16　ケース5の折れ線グラフによる図示

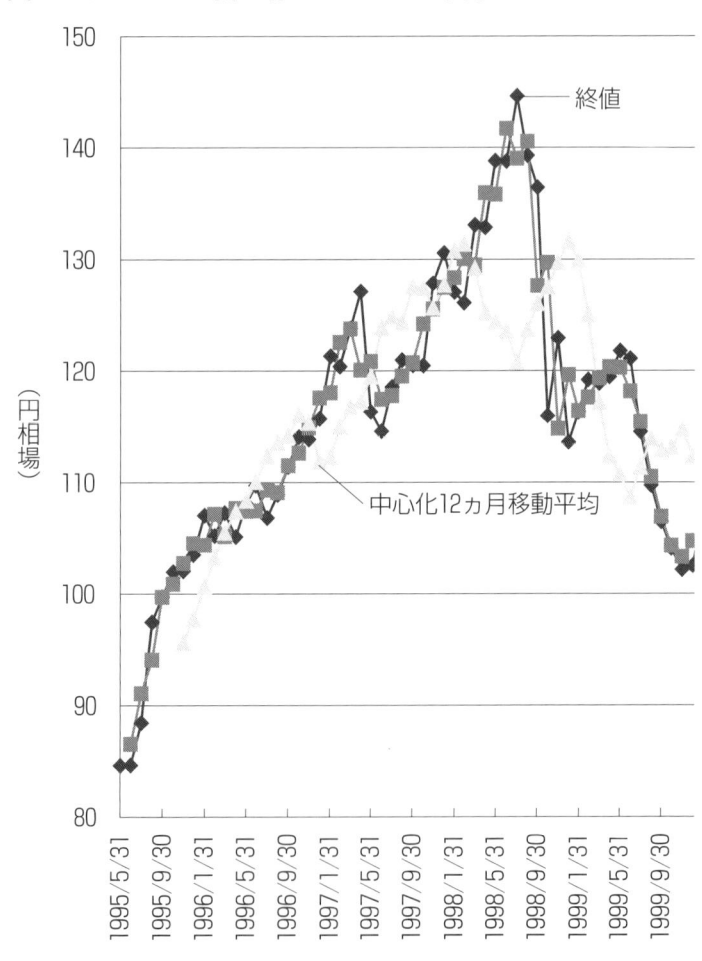

データ間の関係を捉える

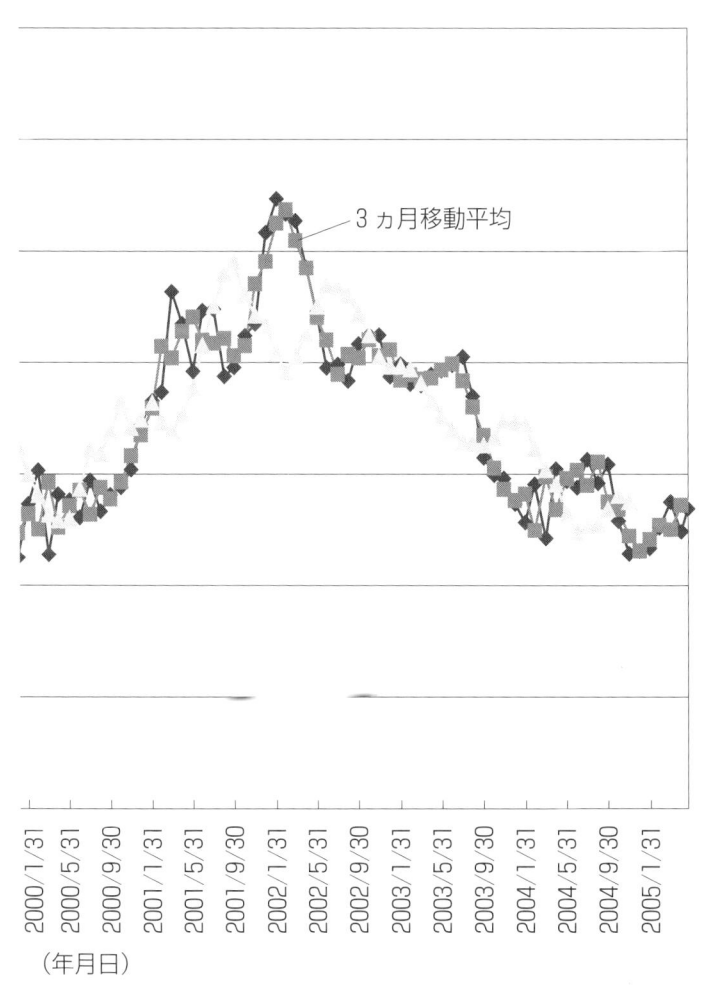

3ヵ月移動平均

2000/1/31　2000/5/31　2000/9/30　2001/1/31　2001/5/31　2001/9/30　2002/1/31　2002/5/31　2002/9/30　2003/1/31　2003/5/31　2003/9/30　2004/1/31　2004/5/31　2004/9/30　2005/1/31

(年月日)

3-1 2種類のデータを表示する

　第2章では、基本的に1つのデータについての分布を考えてきました。そのようなデータを「1次元のデータ」といいます。そして第3章では、2種類の異なる要素を含むデータ、つまり2次元のデータを分析する方法について考えていきます。この際、単に2つのデータを並べるのではなく、両者の関係を調べるということがポイントになります。ここでも1次元のときと同様、データを表示する方法から見ていきましょう。

　2種類のデータと、その関係性を表示する方法としては、**散布図**と**分割表**があります。両者の違いは、散布図が扱うデータは2つとも量的データであるのに対し、分割表が扱うデータは基本的に片方または両方が質的データであることです。

　では、ケース2の数字を使って散布図を作ってみましょう。58ページの図6は、労働者34人の年齢と勤続年数の関係を示す散布図であり、図7は所定内実労働時間数（月労働時間）と年収の関係を示します。

　こうして見ると、図6はただ単にばらばらに並んでいるのではなく、なんとなく右上がりの傾向があるように感じられます。このような二者間の関係を一般に**相関関係**といい、図6のように右上がりのものを「正の相関関係がある」といいます。つまり、片方が大きくなるともう片方も大きくなるような関係です。逆に右肩下がりで、両者の関係が

データ間の関係を捉える

散布図と相関関係

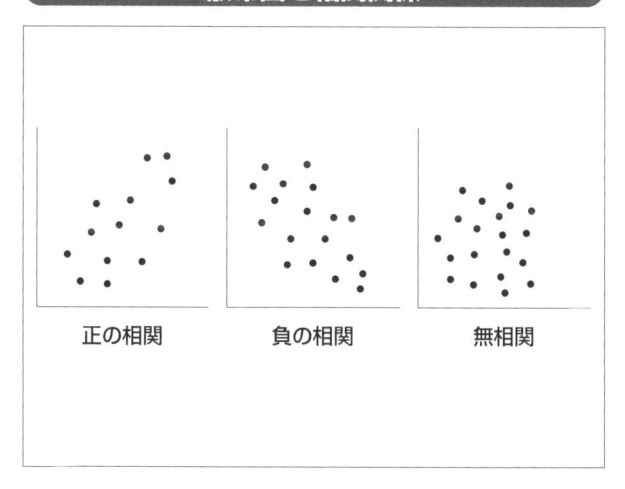

正の相関　　　　負の相関　　　　無相関

正の相関関係と逆のものを、「負の相関関係がある」といいます。そして図7は、団子のように固まっていて、どちらがどちらを規定しているともいい難い状態です。これを「相関関係がない」といいます。

次に分割表です。この労働者34人を、男と女、企業規模が1000人以上かそれ未満かで分けてみると、図8のようになります。ここから、「男女比＝10：7」「1000人以上の勤務先：1000人未満の勤務先＝5：12」ということがわかります。

日本全国の平均では、男女比＝約1：1、1000人以上の勤務先：1000人未満の勤務先＝約1：5（厚生労働省の統計による）となるので、この集団は平均的傾向とは多少ズレているといえます。

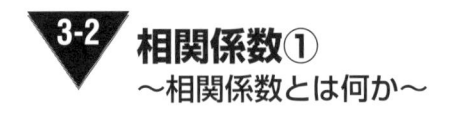

3-2 相関係数①
〜相関係数とは何か〜

　ここでは、相関関係の正負、関係性の強さを表す指標である、**相関係数**について説明しましょう。

　相関関係の正負、あるいはどのくらい関係性が強いかを示す指標が、相関係数です。相関係数にもいくつか定義がありますが、ここでは最も一般的な**ピアソンの積率相関係数**を紹介します。

　データの総数をn個、2つの要素を持つデータを（x_1、y_1）（x_2、y_2）…（x_n、y_n）、xとyの平均をそれぞれ$\bar{x}$、$\bar{y}$とすると、相関係数の式は次のようになります。

相関係数 rxy =

$$\frac{(x_1-\bar{x})(y_1-\bar{y})+(x_2-\bar{x})(y_2-\bar{y})+\cdots+(x_n-\bar{x})(y_n-\bar{y})/n}{n\sqrt{(x_1-\bar{x})^2+(x_2-\bar{x})^2+\cdots+(x_n-\bar{x})^2/n}\sqrt{(y_i-\bar{y})^2+(y_2-\bar{y})^2+\cdots+(y_n-\bar{y})^2/n}}$$

　多少複雑に見える式ですが、意味を説明しましょう。

　まず分母ですが、これはx、yのそれぞれについての分散の平方根、すなわち標準偏差の積です。

　次に分子ですが、これを**共分散**といいます。共分散とは、xの偏差（$x_i-\bar{x}$）とyの偏差（$y_i-\bar{y}$）の積を平均したものです。この中には、データのばらつきが右肩上がりか右肩下がりかという方向性と、ばらつきの大きさが同時に含

データ間の関係を捉える

相関係数

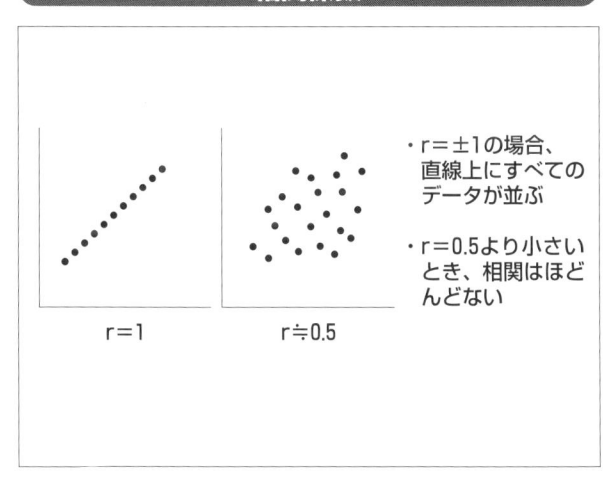

- r＝±1の場合、直線上にすべてのデータが並ぶ
- r＝0.5より小さいとき、相関はほとんどない

r＝1　　　r≒0.5

まれています。このばらつきの大きさは、もともとの数字の大きさがどのくらいか（都市の人口なら何万、年齢なら何十といった単位になる）によって左右されるので、客観的に比べにくいことがあります。

そこでこれを、分母のx、yそれぞれの標準偏差の積で割ると、データのばらつきの大きさに関する情報が除かれて、どのくらい直線的関係があるかを見る指標となります。これが相関係数です。

相関係数は、－1≦r≦1の範囲に必ず収まります。rが0から遠いほど、直線的関係が強くなり、r＝1のとき、分布は完全な右肩上がりの直線上、r＝－1のときは完全な右肩下がりの直線上に並ぶことになります。

3-3 相関係数②
~因果関係との違い~

　では、相関係数を実際に計算してみましょう。58〜59ページの図6と図7、図9に関して相関係数を計算すると、それぞれ約0.79、約-0.21、約0.96になります。

　では、これらを分析していきましょう。

　まず、図6に関していえば、0.79というのは比較的強い相関関係があるといえます。このことから推測されるのは、勤務開始後にあまり転職していない傾向があるということなどです。

　次に、図7の-0.21というのは、ほとんど関係がないと判断できる数値です。図7は月労働時間と年収の関係ですが、時給がこれほど違えば当然ともいえます。むしろ、相関がマイナスになっているということは、どちらかといえば長く働いている人ほど年収が低い傾向さえこの集団にはあるということを示します。

　最後に、図9の0.96は、ほとんど直線上にあって、非常に強い正の相関関係があります。これは年収と時給が比例関係にあるということを示します。もともと年収は時給の積み重ね+ボーナス分なので、両者の関係が深いのは当然です。それでも完全に1にならないのは、年間賞与などの要素が入り込んでいるからです。

　ここで注意しなければならないのは、相関関係と因果関係とは違うということです（『通勤大学ＭＢＡ３　クリティカルシンキング』P74参照）。

因果関係と相関関係

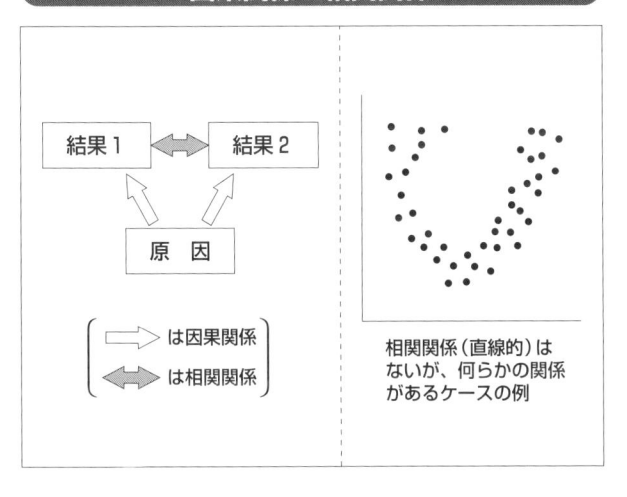

```
結果1 ⇔ 結果2
  ⇑   ⇑
   原　因

⇒ は因果関係
⇔ は相関関係
```

相関関係(直線的)は
ないが、何らかの関係
があるケースの例

　相関関係とは単なる直線的関係ですが、因果関係は原因と結果の関係が存在している場合をいいます。そのため、因果関係がある場合は相関関係がありますが、相関関係があるからといって、その2つの要素の間に原因と結果の関係があるとは限りません。そして因果関係とは、必ずしも直線的な関係ではないのです。

　その例として挙げられるのが、上図のような場合です。このような曲線的関係は、相関係数には反映されません。

　つまり、データの関係を調べる際には単純な数値計算に頼らず、さまざまな観点からの検証が求められるということです。

3-4 見かけ上の相関と偏相関係数

　ここでは、見かけ上の相関の実例を検証します。また、その際に使用する偏相関係数についても説明します。60ページのケース3は、ある商店における売上と、その日の最高気温・曜日を示しています。図10はすべての日を、62ページの図11は平日のみを抜き出しています。

　では、この商店の平日におけるビール・発泡酒、アイスクリームの売上と、最高気温の関係を考えます。①最高気温、②アイスクリームの売上、③ビール・発泡酒の売上として相関係数を見ると、①②間は約0.91、②③間は約0.76、①③間は約0.85と、いずれも比較的強い正の相関関係があります。

　しかし、この間に因果関係があるといえるでしょうか。確かに、「①最高気温→②アイスクリームの売上」と「①最高気温→③ビール・発泡酒の売上」には因果関係がありそうです。つまり、暑い日ほどこれらの商品が売れやすいということです。ところが、アイスクリームが売れるからビール・発泡酒が売れるという関係、あるいはその逆の関係は考えにくいでしょう。このとき、②③間の相関係数はほとんど無意味な数字であり、実際には最高気温が残り2つの要素を決定づけていると考えられます。

　このケースにおける最高気温など、その原因となる要素を**第3因子**といいます。

　そして、このような見かけ上の相関を判別する方法が**偏**

因果関係の意味づけ

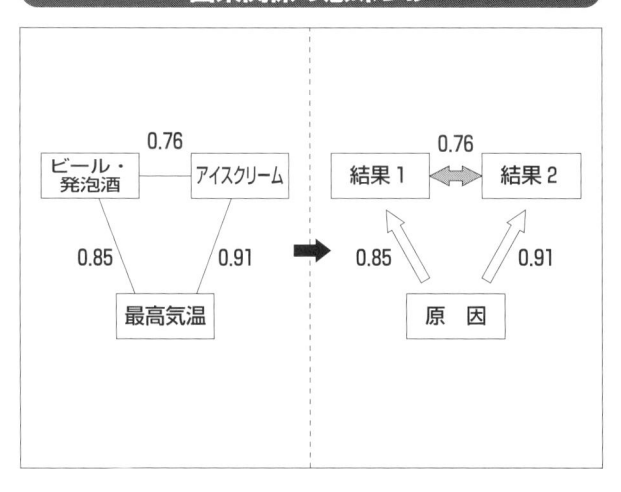

```
        0.76                           0.76
ビール・──── アイスクリーム      結果1 ←──→ 結果2
発泡酒
   \       /                      ↑         ↑
  0.85   0.91          →        0.85      0.91
     \   /                         \       /
    最高気温                         原　因
```

相関係数です。偏相関係数とは、上記の例に即していえば、①の影響を取り除いたあとに②③間に残る相関の強さを示し、以下のような式によって表すことができます。

$$\text{偏相関係数 } r_{23\cdot 1} = \frac{r_{23} - r_{12}r_{13}}{\sqrt{1-(r_{12})^2}\sqrt{1-(r_{13})^2}}$$

分子は、第3因子の影響を引いたあとに残る、真の相関の強さを表します。そして分母は、値が−1から1の間にくるよう調整をしたものです。式に従ってこの例の値を求めると、限りなく0に近い数字になります。

このケースでは因果関係の方向が非常にわかりやすいのですが、見かけ上の相関の判別はしばしば非常に紛らわしく、意思決定を誤らせます。

3-5 回帰分析とは何か

　ここまでは、2つのデータ間の相関関係を考えてきました。次は、因果関係についても考えていきます。

　あるデータに関して相関関係がある場合、仮にその間に原因と結果の関係（つまり因果関係）が認められれば、どちらかの値がもう片方の値に対して、ある程度の影響力を持っているということができます。その度合いを数式化することができれば、それをもとに未知の値に対する結果の予測ができることになります。たとえば、マーケティングで「何が売上高を決めるのか」といった分析にも応用できます。

　そのための方法が、**回帰分析**です。

　まず、具体的なイメージを持っていただくために、回帰分析の結果を見てください。

　63ページの図12は、ケース3の最高気温とビール・発泡酒売上との関係を示す散布図の上に、直線を引いたものです。なんとなく、相関関係の中心にそれをはっきり定める直線が引かれたという感じです。なぜこのような直線が引けるのか、そしてこの直線によってどのようなことがわかるのかを以下、説明していきます。

　ここにxとyという2つの要素があり、xからyへの因果関係があるとします。つまり、xが原因、yが結果です。このような場合、xのことを**説明変数**（または**独立変数**）、yのことを**目的変数**（または**従属変数**）と呼びます。yが

データ間の関係を捉える

相関関係と回帰分析

> **相関関係**
> 2変数の間の、直線的関係
>
> **回帰分析**
> 相関の中に、因果関係を含めて考えるもの

目的で、それはxによって説明されると捉えればよいでしょう。

このように、ある結果に対して原因が1つの場合を**単回帰**、2つ以上ある場合を**重回帰**と呼びますが、本章で扱うのは単回帰です。また、因果関係は必ずしも相関関係のように直線的関係とは限りませんが、本章で扱うのは直線的な回帰の関係です。

さて、その影響の仕方を数式で表したものが**回帰式**です。単回帰の場合は2つのデータ間の関係なので、平面状に表すことができます。直線的な回帰をここでは考えるため、それを**回帰直線**といいますが、それが先に見た図12上の直線になります。

3-6 回帰直線と最小2乗法

ここでは、回帰直線の求め方を考えましょう。

最初に行うべきことは、何が原因で何が結果かという仮定です。図12でいえば、最高気温という説明変数が原因となって、結果としてビール・発泡酒の売上という目的変数が出ているという関係が考えられます。しかし、その逆は考えられません。

この因果関係の向きを間違えると、まったく意味のない分析になってしまうため、注意が必要です。そこで最高気温を x、売上を y とします。

説明変数と目的変数を定めたら、いよいよ両者をつなぐ数式を考えます。

ところで、分布になんとなく沿った感じの直線であれば、無数に描けます。しかし、その中で「回帰直線」として最も適当なのが、図12のような直線だといえます。つまり、図12のような直線が、x と y の関係を最もよく説明できるということです。このときに使われる考え方が、**最小2乗法**です。

図12上の直線は、確かに分布の中心を通っている感じはしますが、すべての点の上を通っているわけではありません。そのような直線を引くことは不可能であり、必ず直線からのズレが発生します。その意味で、この直線はすべての点の位置を説明できていないわけです。

この各点と直線とのズレのことを**残差**といいます。残差

回帰直線を確定する方法

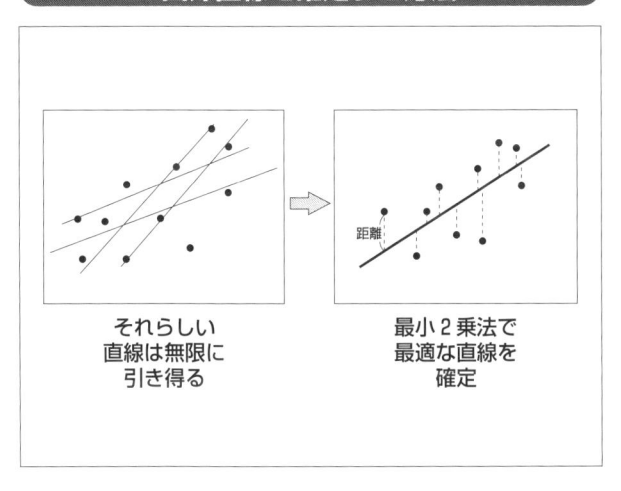

それらしい直線は無限に引き得る

最小2乗法で最適な直線を確定

距離

の和が小さいほど説明のズレが小さいともいえますが、その残差を出す方法が最小2乗法なのです。

具体的な方法は次のようになります。

まず、上図のように、それらしい直線を引いてみます。次に、各データを表す点から、その直線に対し、縦軸に沿って線分を下ろします。これらの線分を各点と直線との距離diとみなしますが、このままでは、点が直線の下にあるときdiが負になってしまうので、2乗して正に直します。そして、その和が最小になればよいと考えます。そのため、最小2乗法と呼びます。

3-7 回帰分析による予測

　ここでは、回帰分析によって将来を予測するプロセスを考えます。

　まず、最小2乗法に基づき、このケースの回帰直線の式を求めると、$y = 2723.4x - 6600.1$ となります。

　次に考えるのは、この直線はどのくらい x と y の関係を「説明」できているのかということです。それを**決定係数**（または**寄与率**）といいます。証明は省きますが、決定係数は相関係数を2乗したものになります。

　相関係数 r は、2つのデータがどのくらい直線的関係が強いかを示す指標であるということは前述しましたが、それを2乗して正負の差をなくせば、決定係数になるのです。

　r が-1以上1以下の範囲にあるので、決定係数は0以上1以下になり、その値が大きいほど x と y の関係を説明できているといえます。つまり、この直線が各データに「あてはまっている」といえるのです。決定係数が1の状態では、各点は完全に直線上にあります。

　回帰分析の強みは、今ある数値に最もあてはまる回帰式を出したのとは逆の手順で、回帰式に数値をあてはめることにより、未知の値に対する予測ができることです。

　仮に、ケース3の翌日の最高気温 x が30.0度で、最高気温以外の条件はまったく同じだとして式にあてはめてみましょう。すると、7万5109.1円という値が出ます。このように、過去の法則性から将来が予測できるのです。

回帰分析の有効性

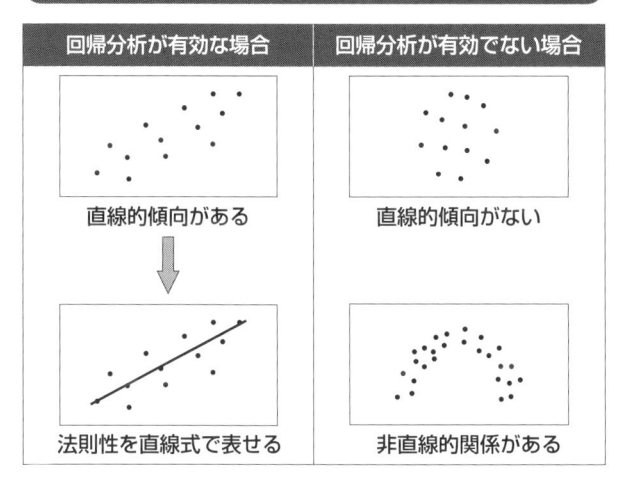

回帰分析が有効な場合	回帰分析が有効でない場合
直線的傾向がある	直線的傾向がない
法則性を直線式で表せる	非直線的関係がある

　実際には、仮にほかの条件がまったく同じだったとしても誤差は生じますし、さまざまな不確定要素もあって、きっちり正確に予測をするのは困難です。しかし、決定係数が高い場合はそれなりの信頼性を持って予測ができるため、貴重な方法だといえます。

　また、このような直線的回帰分析を使用するのは、散布図が直線的な相関関係を示しているときに限られます。たとえば、58ページの図7のような分布に対して最小2乗法を試みた場合、それでも「最適な」回帰直線は求められます。しかし、そこから何か意味のある推論をするのは無理でしょう。これは、非直線的関係があるときも同様です。

　データを計算によって分析するだけでなく、表示するということの重要性を再確認してください。

3-8 時系列データの分析①
～構成要素～

　ここでは、**時系列データ**の分析手法について、その構成要素を大きさ別に考えます。

　時系列データとは、年・月・日などの、一定の時間に従う数値の変化を表したものです。年別売上の経済成長率の推移や月別での総売上高の推移、日別の株価の変動などがその例で、ビジネスの現場においていくらでも考えられるものです。

　時系列データを分析する際の基本は、前のデータと比較していくことです。そのため、しばしば変化を見るのが容易な折れ線グラフで表示されます。そして変化の度合いは、基本的に前年比何%といったように比率で表されます。

　しばしば使用されるもう1つの基準が**指数**です。指数は、ある時期の値を基準値100として、そこから比率にしてどのくらい離れているかを見るものです。

　64ページの図13を見てください。これは総務省統計局による消費者物価指数の総合指数（CPI）で、平成12年を100とした場合の変動を示したものです。そして、それを折れ線グラフにしたのが、65ページの図14です。

　時系列データに関しては、時間的な変化に、さまざまなレベルで一定の傾向が存在する場合があります。それらの傾向はしばしば次の4つに分けられます。

①**傾向変動**：T（Trend、トレンド）
②**循環変動**：C（Cyclical、サイクル）

時系列データの傾向のレベル

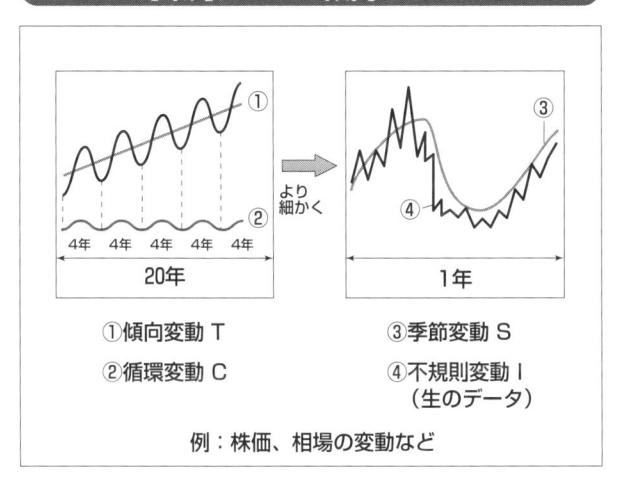

① 傾向変動 T
② 循環変動 C
③ 季節変動 S
④ 不規則変動 I
（生のデータ）

例：株価、相場の変動など

③ **季節変動**：S （Seasonal、季節）
④ **不規則変動**：I （Irregular、不規則性）

すなわち、Tは循環するサイクルを除いた数年・数十年単位の傾向、Cは1年よりも大きい循環のサイクル、Sは1年でのサイクル、Iは傾向では説明できない不規則な小変動となります。これを大きい順に並べると、「T＞C＞S＞I」となります。

時系列データの分析に際しては、
・傾向としてのTを抽出する
・循環としてのCまたはSを抽出する

という2通りのやり方がありますが、基本的な手法は同じです。以下、その方法について見ていきましょう。

3-9 時系列データの分析② 〜移動平均法〜

　まずは、大きな傾向を見るために小さい循環を除去する手法を見ていきます。これに該当するのは、たとえば月単位で見ると売上は減少しているが、数年の単位で見れば売上が上昇しているといったケースです。

　最も一般的な方法は、**移動平均法**を使用するやり方です。66〜68ページの図15を見てください。これは、1995年5月末〜2005年5月までの円相場の推移を示したものです（ケース5）。それをグラフ化したものが、70〜71ページの図16です。

　図15中の終値と、図16のひし形の点で表されるデータが原データです。このデータから、小変動を取り除きます。

　移動平均法とは、簡単にいえば、まとまった期間のデータを平均して「ならす」作業のことです。

　図15の原データ（終値）の右側には、その月の分と前後1ヵ月の、合計3ヵ月分のデータをならした結果が示されています（3カ月移動平均）。図16では、四角の点で表されたグラフ上に位置しています。この場合、不規則な小変動はかなりならされて、なくなってしまいます。なぜなら、ある月のある日に特別な事情で変動があったとしても、そのズレの影響は3分の1になってしまうからです。

　季節変動を考える場合には、これを12ヵ月の単位で行うと、季節変動を除去することができると考えられます。すべてのデータに平均する前は12ヵ月分の要素が入っている

データ間の関係を捉える

移動平均法

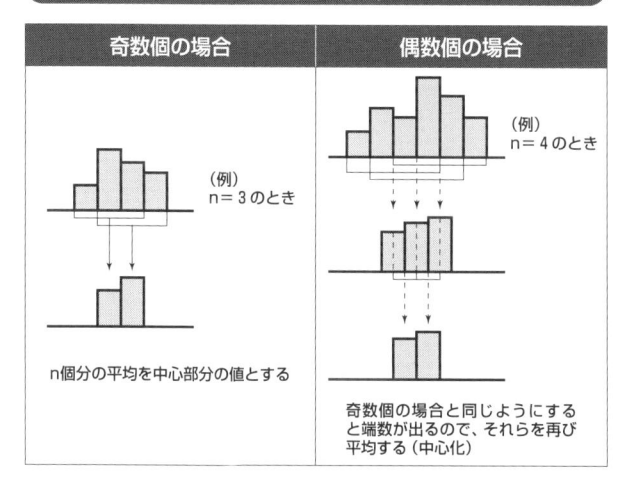

奇数個の場合

（例）n＝3のとき

n個分の平均を中心部分の値とする

偶数個の場合

（例）n＝4のとき

奇数個の場合と同じようにすると端数が出るので、それらを再び平均する（中心化）

ため、特定のデータがある季節特有の傾向に左右されるということがなくなるからです。

ただ、このときに注意しなければならないのは、12という数が偶数であるため、そのままでは平均値が1.5月、2.5月……というようになってしまうことです。この場合は、その1.5月と2.5月をさらに平均し、$(1.5 + 2.5) \div 2 = 2$月のデータとみなします。

このような方法を**中心化移動平均法**といい、図16では、三角の点で表されたグラフ上にあります。図16を見れば、移動平均の範囲を広くすればするほど、値の不規則なバラツキは小さくなり、なだらかな曲線になることが納得できるでしょう。

3-10 時系列データの分析③
～自己相関係数～

次に、循環変動を取り除く場合を考えます。循環変動は季節変動より大きな周期のサイクルなので、まずはその周期を求めることから始めなければなりません。そのための方法が、**自己相関係数**です。

自己相関係数の式は、次のようになります。相関係数の式と似ていますが、若干違うので注意してください。

自己相関係数 $r(k) =$

$$\frac{(x_{k+1}-\bar{y})(y_1-\bar{y})+(y_{k+2}-\bar{y})(y_2-\bar{y})+\cdots(y_{y+n}-\bar{y})(y_n-\bar{y})}{(y_1-\bar{y})^2+(y_2-\bar{y})^2+\cdots+(y_n-\bar{y})^2}$$

まず、$r(k)$ のkは、周期を表します。この段階では、kは1、2…のいずれかの数字に固定します。つまり、循環変動の周期をk年(あるいは月や日など、何でもよい)と仮定するわけです。

次に分子を見ていきましょう。ここでとは、tという時点におけるyの値を指します。また、データはn個あります。したがって、この分子はyとyの平均の差、すなわち共分散 $<\{(x_1-\bar{x})(y_1-\bar{y})+(x_2-\bar{x})(y_2-\bar{y})+\cdots+(x_n-\bar{x})(y_n-\bar{y})\}\div n>$ のxとyに、kという周期の差の変動を1からnまですべてあてはめたものをn倍したものです。

分母は、前述のように値の大きさを調整するためのものです。これによって、周期をkと仮定したときの自己相関係数を出すことができます。

自己相関係数とコレログラム

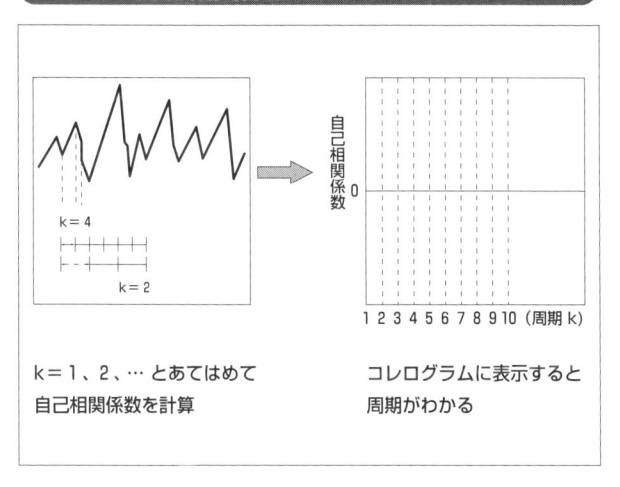

k=1、2…とあてはめて
自己相関係数を計算

コレログラムに表示すると
周期がわかる

　kを1、2…とあてはめていくと、上図のようなグラフ（コレログラムという）ができあがります。これは、あるkに対してr（k）の値が大きい、つまり相関が高いということは、その周期分差が開いている場合の傾向が近いということを意味します。これによって周期を出し、あとは移動平均法を使用します。

　以上で説明したのは、時系列データから循環変動Cと季節変動S、不規則変動Iを取り除く方法です。もっとも、逆にCやSを抽出するのも、同じ考え方によって可能です（Iは不規則変動なので、傾向性を考えることは無意味）。つまり、移動平均法によって長期的傾向が出たら、逆に元データをその数値で割って100倍し、指数化することによって純粋に短期的変動のみを見ることができるのです。

―――《チェックポイント》―――
第3章のココだけは理解しよう!

◆問題◆
- ☐ 3 - 1 　2種類のデータを調べるとき、何に注目する?
- ☐ 3 - 2 　相関係数では、数値の大きさは何を意味する?
- ☐ 3 - 3 　相関関係と因果関係は何が違う?
- ☐ 3 - 4 　偏相関係数は何のために役立つ?
- ☐ 3 - 5 　回帰分析は、相関関係に何を加えて考えるもの?
- ☐ 3 - 6 　最適な回帰直線を求めるための方法は?
- ☐ 3 - 7 　どんなときに回帰分析が有効?
- ☐ 3 - 8 　時系列データの4つの構成要素は?
- ☐ 3 - 9 　移動平均法は、どんな作業?
- ☐ 3 -10　自己相関係数は、何を求めるのに有効?

◆解答◆
- ☐ 3 - 1 　両者の関係
- ☐ 3 - 2 　関係の強さ
- ☐ 3 - 3 　相関関係とは単なる直線的関係だが、因果関係とは原因と結果の関係が存在している場合をいう。
- ☐ 3 - 4 　見かけ上の相関を判別することに役立つ。
- ☐ 3 - 5 　因果関係
- ☐ 3 - 6 　最小2乗法
- ☐ 3 - 7 　2つのデータ間に、直線的な因果関係があるとき
- ☐ 3 - 8 　①傾向変動 T（Trend＝トレンド）、②循環変動 C（Cyclical＝サイクル）、③季節変動 S（Seasonal＝季節）④不規則変動 I（Irregular＝不規則性）
- ☐ 3 - 9 　まとまった期間のデータを平均し、「ならす」作業
- ☐ 3 -10　時系列データの周期

第 **4** 章

信頼性のある標本を作成する

[ケース6]
円相場の推移

図17　ケース6の原データ

日付	終値	3ヵ月移動平均	12ヵ月移動平均	中心化12ヵ月移動平均
2005/ 5 /18	106.91			
2005/ 4 /29	104.84	107.21		
2005/ 3 /30	107.51	105.015		
2005/ 2 /25	105.19	105.425		
2005/ 1 /28	103.34	104.135		
2004/12/30	103.08	103.085	107.845	
2004/11/29	102.83	104.45	107.115	107.48
2004/10/29	105.82	106.845	108.985	108.05
2004/ 9 /29	110.86	107.505	104.715	106.85
2004/ 8 /31	109.19	111.085	106.215	105.465
2004/ 7 /29	111.31	108.985	104.375	105.295
2004/ 6 /30	108.78	110.35	105.09	104.7325
2004/ 5 /31	109.39	109.62	107.72	106.405
2004/ 4 /30	110.46	106.815	110.39	109.055
2004/ 3 /31	104.24	109.775	110.325	110.3575
2004/ 2 /27	109.09	104.955	114.14	112.2325
2004/ 1 /30	105.67	108.22	114.65	114.395
2003/12/31	107.35	107.645	114.585	114.6175
2003/11/28	109.62	108.635	114.88	114.7325
2003/10/31	109.92	110.54	111.595	113.2375
2003/ 9 /30	111.46	113.445	113.52	112.5575
2003/ 8 /29	116.97	115.99	111.885	112.7025
2003/ 7 /31	120.52	118.375	113.605	112.745
2003/ 6 /30	119.78	119.91	114.19	113.8975
2003/ 5 /30	119.3	119.365	116.19	115.19
2003/ 4 /30	118.95	118.625	116.96	116.575
2003/ 3 /31	117.95	118.525	119.315	118.1375
2003/ 2 /28	118.1	118.905	119.44	119.3775
2003/ 1 /31	119.86	118.43	119.81	119.625
2002/12/31	118.76	121.16	119.42	119.615
2002/11/29	122.46	120.61	121.595	120.5075
2002/10/31	122.46	122.06	123.255	122.425
2002/ 9 /30	121.66	120.41	125.415	124.335
2002/ 8 /30	118.36	120.75	126.61	126.0125
2002/ 7 /31	119.84	118.95	126.72	126.665
2002/ 6 /28	119.54	122.04	127.06	126.89
2002/ 5 /31	124.24	124.05	122.97	125.015
2002/ 4 /30	128.56	128.485	122.04	122.505
2002/ 3 /29	132.73	130.96	118.96	120.5
2002/ 2 /28	133.36	133.705	119.315	119.1375
2002/ 1 /31	134.68	132.51	122.165	120.74

信頼性のある標本を作成する

日付	終値	3ヵ月移動平均	12ヵ月移動平均	中心化12ヵ月移動平均
2001/12/31	131.66	129.08	124.445	123.305
2001/11/30	123.48	127.04	123.895	124.17
2001/10/31	122.42	121.52	128.105	126
2001/ 9 /28	119.56	120.605	129.845	128.975
2001/ 8 /31	118.79	122.175	126.025	127.935
2001/ 7 /31	124.79	121.72	124.115	125.07
2001/ 6 /29	124.65	122.01	118.945	121.53
2001/ 5 /31	119.23	124.065	116.41	117.6775
2001/ 4 /30	123.48	122.78	114.195	115.3025
2001/ 3 /30	126.33	120.425	113.465	113.83
2001/ 2 /28	117.37	121.45	115.73	114.5975
2001/ 1 /31	116.57	115.89	117.04	116.385
2000/12/29	114.41	113.485	112.675	114.8575
2000/11/30	110.4	111.62	115.565	114.12
2000/10/31	108.83	109.27	117.255	116.41
2000/ 9 /29	108.14	107.75	110.075	113.665
2000/ 8 /31	106.67	108.785	113.445	111.76
2000/ 7 /31	109.43	106.395	110.865	112.155
2000/ 6 /30	106.12	108.54	106.455	108.66
2000/ 5 /31	107.65	107.15	105.49	105.9725
2000/ 4 /28	108.18	105.215	106.12	105.805
2000/ 3 /31	102.78	109.25	106.565	106.3425
2000/ 2 /29	110.32	105.05	109.575	108.07
2000/ 1 /31	107.32	106.415	110.325	109.95
1999/12/31	102.51	104.735	114.375	112.35
1999/11/30	102.15	103.305	114.985	114.68
1999/10/29	104.1	104.305	111.125	113.055
1999/ 9 /30	106.46	106.91	114.61	112.8675
1999/ 8 /31	100.72	110.495	113.26	113.935
1999/ 7 /30	114.53	115.41	109.42	111.34
1999/ 6 /30	121.1	118.16	107.875	108.6475
1999/ 5 /31	121.79	120.086	113.52	110.6975
1999/ 4 /30	119.47	120.345	111.215	112.3675
1999/ 3 /31	118.9	119.335	123.085	117.15
1999/ 2 /26	119.2	117.615	126.915	125
1999/ 1 /29	116.33	116.4	132.88	129.8975
1998/12/31	113.6	119.635	130.28	131.58
1998/11/30	122.94	114.785	129.135	129.7075
1998/10/30	115.97	129.695	125.885	127.51
1998/ 9 /30	136.45	127.635	126.135	126.01
1998/ 8 /31	139.3	140.555	121.215	123.675

MBA Statistics

日付	終値	3ヵ月移動平均	12ヵ月移動平均	中心化12ヵ月移動平均
1998/ 7 /31	144.66	139.035	120.325	120.77
1998/ 6 /30	138.77	141.73	126.76	123.5425
1998/ 5 /29	138.8	135.82	121.91	124.335
1998/ 4 /30	132.87	135.935	128.46	125.185
1998/ 3 /31	133.07	129.485	129.905	129.1825
1998/ 2 /27	126.1	130.06	132.805	131.355
1998/ 1 /30	127.05	128.34	128.66	130.7325
1997/12/31	130.58	127.45	126.685	127.6725
1997/11/28	127.85	125.525	124.595	125.64
1997/10/31	120.47	124.18	130.085	127.34
1997/ 9 /30	120.51	120.71	124.945	127.515
1997/ 8 /29	120.95	119.53	123.715	124.33
1997/ 7 /31	118.55	117.76	125.945	124.83
1997/ 6 /30	114.57	117.435	121.775	123.86
1997/ 5 /30	116.32	120.835	117.16	119.4675
1997/ 4 /30	127.1	120.055	117.29	117.225
1997/ 3 /31	123.79	123.74	116.17	116.73
1997/ 2 /28	120.38	122.55	113.725	114.9475
1997/ 1 /31	121.31	118.04	110.695	112.21
1996/12/31	115.7	117.58	113.02	111.8575
1996/11/29	113.85	114.885	117.585	115.3025
1996/10/31	114.07	112.62	114.46	116.0225
1996/ 9 /30	111.39	111.485	113.82	114.14
1996/ 8 /30	108.9	109.105	113.265	113.5425
1996/ 7 /31	106.82	109.31	111.37	112.3175
1996/ 6 /28	109.72	107.445	108.68	110.025
1996/ 5 /31	108.07	107.425	108.055	108.3675
1996/ 4 /30	105.13	107.665	106.675	107.365
1996/ 3 /29	107.26	105.175	104.31	105.4925
1996/ 2 /29	105.22	107.15	102.14	103.225
1996/ 1 /31	107.04	104.365	99.08	100.61
1995/12/29	103.51	104.54	96.35	97.715
1995/11/30	102.04	102.735	94.87	95.61
1995/10/31	101.96	100.88		
1995/ 9 /29	99.72	99.71		
1995/ 8 /31	97.46	94.08		
1995/ 7 /31	88.44	91.045		
1995/ 6 /30	84.63	86.525		
1995/ 5 /31	84.61			

図18 ケース6のデータに基づくヒストグラムと度数分布表

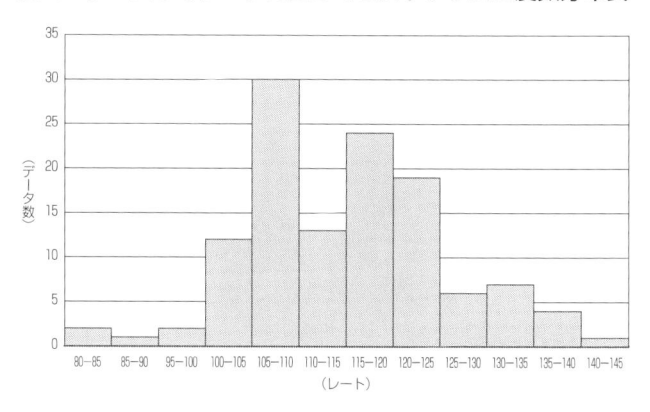

終値	集計
80— 85	2
85— 90	1
95—100	2
100—105	12
105—110	30
110—115	13
115—120	24
120—125	19
125—130	6
130—135	7
135—140	4
140—145	1
総計	121

図19 ケース5から抽出した（偏りの小さい）標本例と、それに基づくヒストグラムと度数分布表

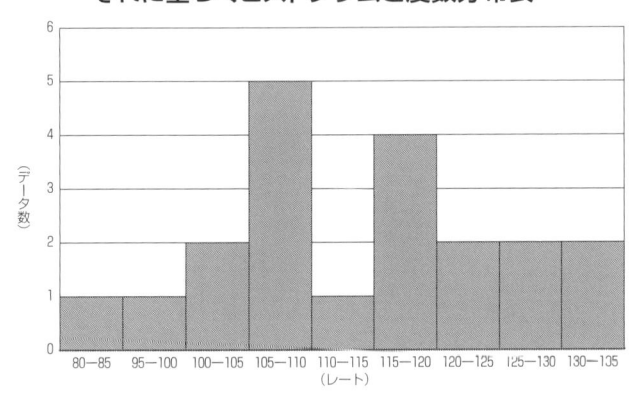

終値
84.63
99.72
103.08
104.84
106.46
107.32
108.07
108.9
109.72
111.31
115.7
115.97
118.55
119.78
121.79
123.48
127.1
127.85
132.87
133.36

終値	集計
80 — 85	1
95 — 100	1
100 — 105	2
105 — 110	5
110 — 115	1
115 — 120	4
120 — 125	2
125 — 130	2
130 — 135	2
総計	20

信頼性のある標本を作成する

図20 ケース6から抽出した（偏りの大きい）標本例と、それに基づくヒストグラムと度数分布表

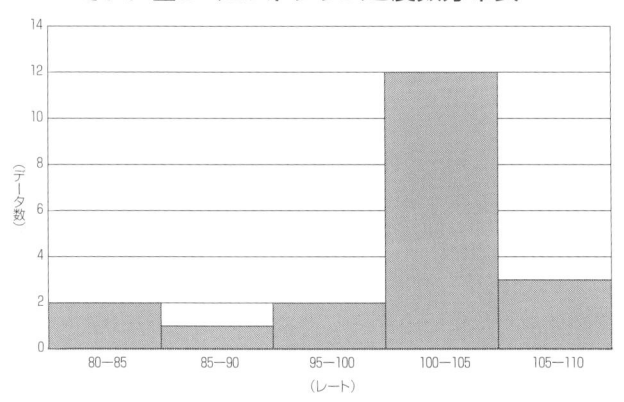

終値
84.61
84.63
88.44
97.46
99.72
101.96
102.04
102.15
102.51
102.78
102.83
103.08
103.34
103.51
104.1
104.24
104.84
105.13
105.19
105.22

終値	集計
80 — 85	2
85 — 90	1
95 — 100	2
100 — 105	12
105 — 110	3
総計	20

4-1 標本と母集団の関係

いよいよ本格的に推測統計学の内容に入ります。

第1章で説明したように、推測統計学とは数学的な考え方を使い、限られた数の標本からいかに全体を推測するかという手法です。そこで、まずは標本と母集団の関係についてより深く考えてみましょう。

初めに、なぜ標本調査を行うのかについて説明します。

私たちが本来知りたいのは、母集団についてのデータです。母集団のデータとは、たとえば**母平均**（母集団の平均）や**母分散**（母集団の分散）、**母集団分布**（母集団の分布の形）などです。しかし、母集団全体を調べることができないこともあります。

その理由としては、

① すべてを調べるにはお金や時間が足りない……「すべての日本人」（国勢調査では調べているが、それほどの大規模なものは通常不可能）など

② 母集団が無限にある（無限母集団）……「ある反応にかかる時間」（何回でもやろうと思えばできる実験のため、「終わり」がない）など

③ すべてを調べることが無意味な場合……「この製品は何kgの力に耐えられるか」（全部を壊すまで調べると、売る製品がなくなってしまう）など

のどれかにあてはまるケースがほとんどです。

そこで、その一部分を抜き出して標本とし、**標本平均**

信頼性のある標本を作成する

標本は母集団の一部（縮小コピーではない）

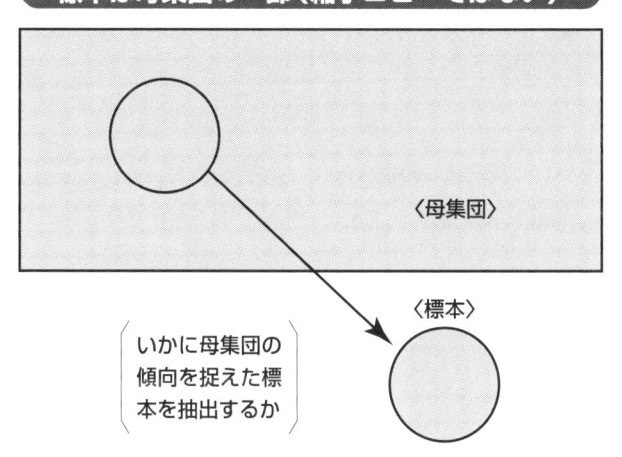

〈母集団〉

〈標本〉

いかに母集団の傾向を捉えた標本を抽出するか

（標本の平均）、**標本分散**（標本の分散）、**標本分布**（標本の分布の形）などを調べるのです。

この標本平均や標本分散、標本分布などを表す値を**統計量**といい、これらを通じて母集団の性質を予測します。これが統計的推測（または推定）です。

統計的推測は、標本をとることから始まりますが、調べている対象・範囲が違うため、標本のデータと母集団のデータの間には必然的にズレが生じます。このズレには、標本誤差と非標本誤差があります。しかし、推定が意味を持つためには、ズレがあまり大きくては困ります。そこで、ズレがいかに少ない標本をつくるかということが重要になります。

4-2 抽出法

　標本をつくるため、母集団から一定数のデータを持ってくることを**データの抽出**といいます。データの抽出方法は、主に**有意抽出**と**無作為抽出**の2つに分けられます。

　有意抽出法とは、調査者が経験や知識による判断に基づき、母集団を典型的に代表すると考える標本を、主観的に選別する方法です。かつてはこの方法がよく用いられましたが、後述する非標本誤差が重大な誤りとして現れることが多く、現在ではあまり用いられていません。

　一方、母集団から無作為・ランダムに標本を抽出する方法が、無作為抽出法です。これには、くじ引きや乱数表（数字が同じ確率で並んでいる整数の表）などが使われます。推測統計学の理論は、標本が母集団からランダムに選ばれていることを前提にしているため、現在では一般的にこちらの方法が使われます。戦後、コンピュータを用いることによって、簡単に乱数表が使えるようになったことも、その背景として挙げられます。

　無作為抽出法の中にもいくつか種類があります。最も基本となるのが、母集団の要素に1から順に番号をつけていき、番号をランダムに選ぶことによって標本を抽出する**単純無作為抽出法**です。本書の第5章以降の内容も、これを前提にしています。

　単純無作為抽出法は、たとえば日本人全体を標本にとったとすると、1番目、2番……1億2千何百何十何万番と

信頼性のある標本を作成する

2種類の抽出法

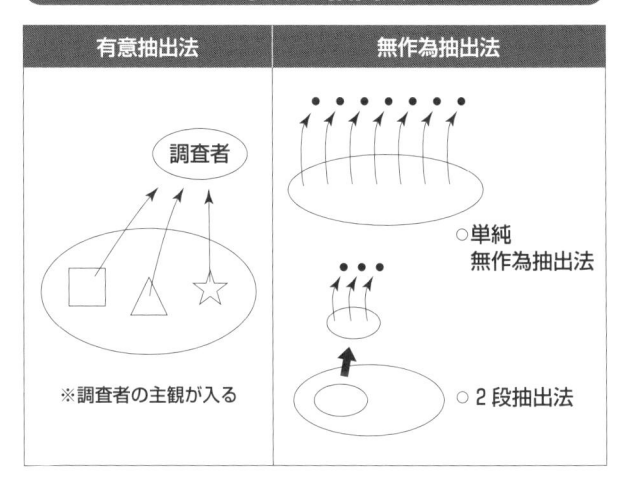

有意抽出法

調査者

※調査者の主観が入る

無作為抽出法

○単純無作為抽出法

○2段抽出法

番号をふっていき、乱数表から選ぶといったやり方ですが、現実にはこの方法ではうまくいかない場合もあります。仮に日本人から単純無作為抽出法によって標本を抽出したとすると、高い確率で標本が全国に散らばることになり、調査に大変な手間と資金がかかってしまうからです。

このように、単純無作為抽出法ではうまくいかない場合に用いるのが**2段抽出法**です。これは、最初にある程度まとまった単位（統計学の用語では「集落」という）を選び、その中から単純無作為に標本を抽出するという方法です。上記の例で考えれば、日本全体からある地域をランダムに選び、その内部で無作為抽出を行うのです。この方法だと完全にランダムではないので、精度は多少下がりますが、実際面ではかなり手間が省けることになります。

4-3 非標本誤差の例① ～単純ミス～

　標本には、必然的にズレが伴います。そのズレのうち、統計的推測の本質、すなわち推測統計学の理論的問題にかかわるのが**標本誤差**、どちらかといえば人為的なミスといえる誤差が**非標本誤差**です。詳しくは後述しますが、標本誤差は標本と母集団の範囲が違うために生じる誤差なので、標本調査にしか関係しません。一方、非標本誤差は、調査のプロセスの問題なので、全数調査でも標本調査でも起こり得ます。

　ここでは、まず非標本誤差から説明していきますが、その理由は2つあります。1つは、実務において調査のプロセスの問題を解決しなければその先に進めないからです。もう1つは、その性質のためです。

　統計的推測の理論において重要なのは、圧倒的に標本誤差のほうです。これは数学的な問題として扱えるため、一定確率で必ず生じるものである一方で、ある程度の範囲内に収まります。したがって、本書でも第5章・第6章で推測統計学の理論を扱う際には、非標本誤差はないものと仮定して、標本誤差のみを考えます。しかし、実際の調査において非標本誤差は、きわめて重要な問題です。非標本誤差はプロセス管理のやり方によって最小限に減らすことができる一方で、単純なミスによって調査全体をぶち壊しにしてしまうことも大いにあり得るからです。

　非標本誤差にはさまざまなバリエーションがありますが、

標本誤差と非標本誤差の比較

	標本誤差	非標本誤差
問題の所在	標本調査のみ	全般調査・標本調査両方に関係
問題の原因	数学的問題	調査プロセスの問題
回避の可能性	必然的に発生	減らすことも可能

①単純ミス、②サンプルの偏り、③回答の偏り、④設問の偏り、⑤概念と指標のズレなどが代表的なものです。

では、それぞれについて解説していきましょう。

①単純ミス

いわゆる作業過程におけるミスです。たとえば、調査員の記録間違い、集計上の転記ミス、データ入力の際の入力ミス、計算ミスなどです。

こうしたミスに対しては、調査の各段階できめ細かい管理をすること（入力の際は2度打ちする、調査結果・入力結果はしばらく間を置いて見直してみる、チェックを複数で行うなど）によって減らすことができます。また、標本数をあまり増やしすぎないことも、単純ミスの減少につながります。

4-4 非標本誤差の例②
~サンプルの偏り・回答の偏り~

非標本誤差の例についての説明を続けましょう。

②サンプルの偏り

サンプルの偏りの代表が、アンケート調査などにおける「無回答の誤差」と呼ばれるものです。

調査において、調査票（アンケートなど）で有効な回答がなされたものが、全調査票数に占める割合のことを**回収率（有効回答率）**といいます。この回収率が低い場合は、調査したにもかかわらず無回答だった人の割合が高いことになり、問題が生じます。

たとえば、新製品のサンプルを一定数配布してアンケートを行い、利便性に関して「使いやすい」が70%、「使いにくい」が30%だったとしましょう。しかし、ここでもし回収率が40%だったとしたら、どうでしょう。このデータは有意味なデータとはいえません。仮に、無回答だった人たちの間では「使いやすい」が20%しかいなかったとすると、真の顧客満足度は40%に過ぎないことになるからです。実際には「使いにくい」のほうが多かったわけで、これを**逆転現象**といいます（図参照）。

本来、回収率が80~90%以上なければ、逆転現象が起こる可能性がかなり高いといわれます。また逆転現象とまではいかなくても、一般的に有効回答においては、調査する側に対して肯定的なケースが実際よりも多めに出ることが知られています。無回答の中には、「こんな（気に入らな

信頼性のある標本を作成する

サンプルの偏り

＜問題のある調査結果の例＞

調査票配布数：2500、有効回答数：1000（回収率：40％）
質問：「この製品は使いやすいですか、使いにくいですか？」

	使いやすい	使いにくい	計
有効回答の答え（総数）	700	300	1000
無回答者の本音（総数）	300	1200	1500
真の満足度（総数）	1000	1500	2500

※□の部分が調査者に対するフィードバック
　□の部分は見えない

い）製品をつくった会社に、わざわざ協力してやるもんか」という人たちが多いというわけです。

③回答の偏り

　回答する側の不誠実・無知・うそ・記憶違い・見栄……回答者側の要素によっても、標本となるデータに偏りが生じます。これはとくに、調査員が直接調査する場合に生じやすいといえます。たとえば、高校受験対策用に教材を開発するとし、何らかの分析のために高校生にアンケートをとったとしましょう。その中に「中学時代の通信簿の評価」を聞く設問があったとします。すると、中には実際より高い数字を回答してくる人が結構いるだろうというのは、容易に想像できることです。

4-5 非標本誤差の例③
~設問の偏り・概念と指標のズレ~

④設問の偏り

これは、意図が相手に伝わらないような設問、知りたいことに対して有効なデータを提供できないような設問など、調査する側の問題です。

たとえば、4-4で挙げた新製品のサンプル配布例では「使いやすい」「使いにくい」しか設問の内容がありません。しかし、「使いやすい」が何を意味するのかは人によって違うでしょうし、その結果として何らかの数字が出たとしても、それを具体的に製品開発にどう活かせばよいのか見当がつきません。

このような質問が出てくるのは、調査する側の状況分析や論点整理がＭＥＣＥ（モレ、ダブリ、ズレがないこと。『通勤大学ＭＢＡ３ クリティカルシンキング』参照）に把握できていないためでもあります。

⑤概念と指標のズレ

抽象的な概念について統計をとろうとする際には、それを表している何か別のものを指標にして調査を行うことになります。

たとえば、「ミュージシャンの人気」という概念を測る場合には、「ＣＤの売上」「ライブの入場者数」「人気投票の結果」などを指標として使うことが考えられます。これらの数値で測ることができるのは、いわゆる一般的な「広く浅い」人気でしょう。

概念と指標のズレ

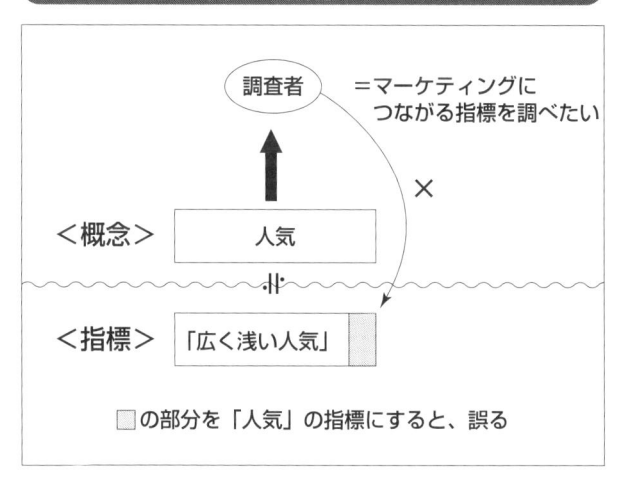

```
                    調査者      =マーケティングに
                      ↑         つながる指標を調べたい
                      |            ×
<概念>      人気
         ～～～～≠～～～～
<指標>    「広く浅い人気」□

    □の部分を「人気」の指標にすると、誤る
```

　しかし、ミュージシャンの中には、一部の熱狂的なファンの支持を受けている人もいます。これは同じ「人気」でも、別の概念になります。このような「人気」を測るには、何か別の指標が必要であることが明らかでしょう。

　にもかかわらず、前者の「広く浅い人気」を受けて一般向けの商品開発・マーケティングを行っても、そのミュージシャンが後者の「人気」を持つタイプであれば、期待どおりの効果が得られないことが予測できます。

　このように標本抽出に際しては、さまざまな非標本誤差を考えなければなりません。もっとも、これらの非標本誤差は、完全には避けられないことかもしれません。しかし、さまざまな工夫をすることによってリスクを最小限に減らすことができるのです。

4-6 標本誤差とは

　ここまでは、非標本誤差について考えてきました。次に、**標本誤差**について説明します。標本誤差は推測統計学の本質にかかわるので、きちんと理解するには第6章までの内容を把握しなければなりません。本項では、その導入としておおまかなイメージをつかんでいただければ十分です。

　ここで仮に、非標本誤差を完全にシャットアウトすることができたとしましょう。いってみれば、完全な無作為抽出が行われ、しかも調査対象が明確で、それに対する質問も回答も明確であり……というケースです。このような場合、私たちは母集団の性質を推測するのに「適当」な標本を得ることができるのでしょうか？（そのためにはまず、どのくらいまでが「適当」なのかを定義しなければならないが、その基準については後述）

　97ページの図18は、ケース6の計121個のデータ（母集団）をヒストグラムにしたものです。母平均は約115、母分散は約116です。そして98ページの図19は、この中から20個のデータ（標本）を単純無作為抽出法によって選び、同じくヒストグラムを作成したものです。両者の傾向は似ていますが、同じではありません。また統計量を見ると、標本平均が約114、標本分散が約145と、母集団と同じではありません。しかし、標本がまったく母集団の性質を推測するのに使えないというわけでもなさそうです。

　次に、99ページの図20は、同じくケース6から20個のデ

信頼性のある標本を作成する

標本誤差

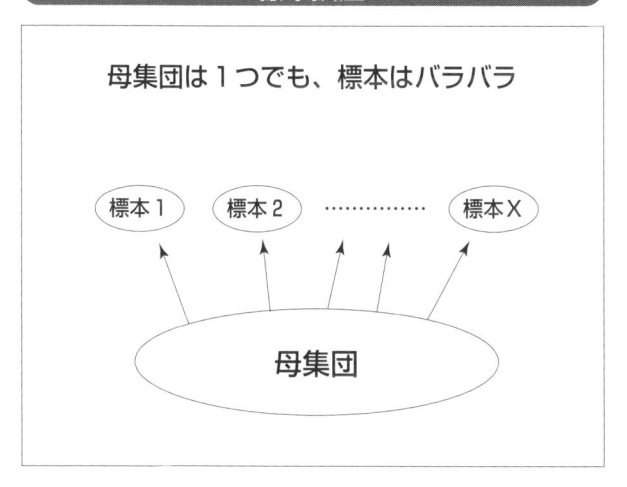

母集団は1つでも、標本はバラバラ

標本1　標本2　…………　標本X

↑　　↑　　　　　　　↑

母集団

ータを抽出し、ヒストグラムにしたものですが、今度は小さいほうから順に20個、あえて選んでいます。このヒストグラムを見た感じでは、この標本は正確な推測には使えなさそうだと感じるでしょう。またこのとき統計量は、標本平均約100、標本分散約43となり、図19に比べれば、母集団とかなり離れています。

このように同じ数の標本を抽出しても、その結果はさまざまです。これを現実にあてはめると、図19や図20という標本から、図18という母集団に対して、「統計的推定」を行わなくてはならないことになります。すると当然、誤差が生じることになります。これはプロセスのミスなどとは違い、ランダムな選択を行うがゆえに必然的に生じる誤差です。これが標本誤差なのです。

―《チェックポイント》―

第4章のココだけは理解しよう！

◆問題◆

- ❏4-1 なぜ標本調査を行うのか？
- ❏4-2 抽出法を大きく2つに分けると、何と何？
- ❏4-3 統計での誤差を2つに分けると、何と何？
- ❏4-4 回収率とは何？
- ❏4-5 誤差を最小にする方法は？
- ❏4-6 標本誤差はなぜ起こる？

◆解答◆

- ❏4-1 母集団すべてを調べるのが適当でない場合があるため
- ❏4-2 無作為抽出法と有意抽出法
- ❏4-3 標本誤差と非標本誤差
- ❏4-4 調査において、調査票（アンケートなど）で有効な回答がなされたものが、全調査票数に占める割合
- ❏4-5 さまざまな工夫によって、非標本誤差を少なくすること
- ❏4-6 母集団からランダムに選択を行うため

第 5 章
標本から母集団を推定する

5-1 確率論の考え方

　以降、推測統計学の基本について説明していきますが、第5章では、まず**確率論**の考え方について説明します。推測統計学を理論的に基礎づけているのが確率論なのです。

　統計学はそもそも、現象には法則性があることを前提にしています。私たちは日常生活の中でさまざまな予測不可能な現象に遭遇します。数学的にはこのことを**ランダムネスの法則**といいます。

　一方で、それらの現象の多くはまったくでたらめに起こるわけではなく、一定の起こりやすさ・一定の決まりに従って起こると考えられます。簡単にいえば、確率論における**確率**とは、そのような現象の起こりやすさの程度を数字で表したものなのです。

　たとえば、コインを投げて表が出るか裏が出るかを見るとしましょう。どちらの面が出るか正確に予知することはできません（ランダムネスの法則）。しかし、コインに歪みなどがなく、投げ方も普通であれば、表と裏が出る回数は同じくらいになると考えるのが自然でしょう。これが確率です。

　そして推測統計学では、ある現象に対して確率がはっきり決まった数値に定められると考えています。上の例でいえば、コインが表になる確率と裏になる確率はどちらも2分の1だと定められるのです。

　実は、確率が客観的に定まるということは絶対的に正し

標本から母集団を推定する

予測に対する2つの考え方

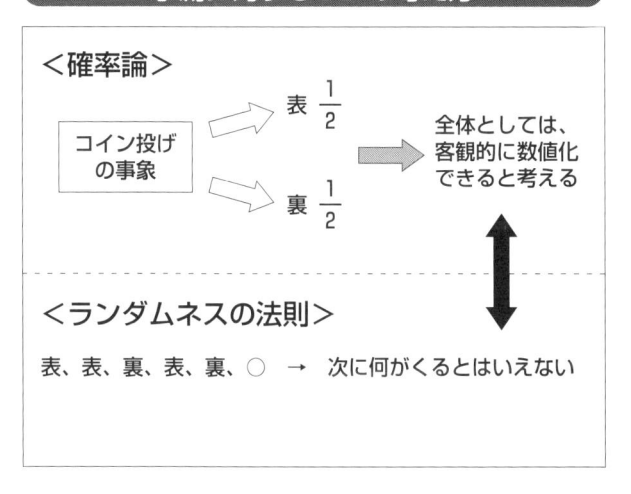

```
<確率論>

コイン投げ  →  表 1/2      全体としては、
の事象       →  裏 1/2      客観的に数値化
                            できると考える

<ランダムネスの法則>

表、表、裏、表、裏、○ → 次に何がくるとはいえない
```

いとはいえません。それはあくまで仮定です。たとえばコインを10回投げても、表と裏が必ず5回ずつ出るとは限りません。どちらかが10回出る可能性もあります。しかし、推測統計学でははっきりと2分の1だと定めてしまいます。なぜなら、現実のビジネスシーンでは、そのような仮定で十分有効だからです。

したがって本書でも、確率に関する仮定、「確率は客観的に数値化できること」を前提として進めていきます。

補足になりますが、**期待値**の考え方について述べておきましょう。期待値はE（X）で表し、数式としては算術平均と同じです。確率論について考えるときは、はっきりとは決められないが、平均するとどのくらいの数値が期待できるのかという意味で、期待値の概念を使います。

5-2 確率論の方法①
～ベルヌーイ試行～

　コインの例を使って、確率を実際に計算する方法を説明しましょう。

　一般的に、たとえばAが起こる確率をP（A）と書きます。この場合のPとは、英語で見込みを表すprobabilityの頭文字です。

　では、表が10回出る事象をA、表裏が5回ずつ出る事象をBとして、P（A）、P（B）を求めましょう。このように、1回の事象で2種類の結果が生じ、しかもその確率が一定であるような実験を**ベルヌーイ試行**といいます。

　まず、表が1回出る確率は$1/2$です。では、2回投げて2回とも表になる確率はどうでしょうか？　これは、$1/2 \times 1/2 = 1/4$となります。最初に表になる確率が$1/2$で、そのうえでまた表になる確率が　だからです。つまり表表、表裏、裏表、裏裏、と4通りあるうちの1通りということです。

　同じように考えると、P（A）は$1/2$を10回かけたものとなり、表が10回出る確率は$1/1024$となります。

　次にP（B）について考えますが、その前に、表と裏が1回ずつ出る確率はいくつでしょうか？　この場合は$1/2 \times 1/2 = 1/4$ではありません。表裏、裏表という組み合わせは、いずれも表と裏が1回ずつ出ているといえるからです。そのため、$1/4 \times 2 = 1/2$となります。これは2回投げて、2回とも表になる確率の2倍です。

　一般的に、ベルヌーイ試行において、n回のうちk回、

標本から母集団を推定する

2項分布の確率分布図

コインを10回投げて、表の出る確率

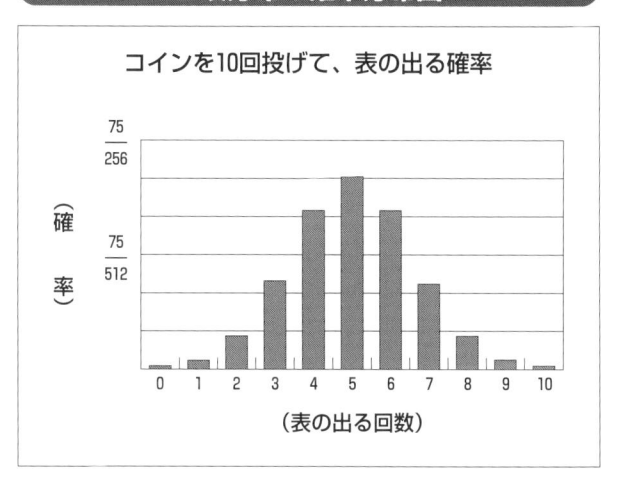

（確率）

縦軸: $\frac{75}{512}$, $\frac{75}{256}$

横軸: 0 1 2 3 4 5 6 7 8 9 10 （表の出る回数）

片方（たとえば表）が出て、$n-k$ 回、もう片方（裏）が出るというような**組み合わせ**を表す値を「nCk（コンビネーションと読む）」と書き、次のように計算します。

$$\text{コンビネーション } nCk = \frac{n \times (n-1) \times \cdots (n-k+1)}{k \times (k-1) \times \cdots 1}$$

さて、これだけではまだ不足です。n 回試行を行ったとすると、そのたびに $1/2$ の確率で片方の現象が起こっているので、その数字を n 回かけなければなりません。よって、n 回のうち k 回表が出る確率は、「$nCk \times (1/2)^n$」となります。この場合は、たまたまどちらの事象が起こる確率も $1/2$ ですが、一般的には片方の確率を p、もう片方を $1-p$ と置き、「$nCk \times (p)^k \times (1-p)^{n-k}$」となります。

5-3 確率論の方法② ～推測における確率分布の考え方～

確率論の考え方を応用した確率分布について考えることで、いよいよ推測の考え方を学んでいきます。まずは5－2の続きで、数式に従ってP（B）を計算すると、

$$_{10}C_5 \times (\frac{1}{2})^{10} = \frac{63}{256} \quad _{10}C_5 \times (\frac{1}{2})^{10} = \frac{63}{256}$$

になります。同様に表が1回だけ出る確率、2回出る確率……と計算していくと、前ページの図のようになります。

このように、ある事象がどれぐらいの確率で起こるかを逐一まとめたものを**確率分布**といい、それをヒストグラム上に図示したものが**確率分布図**です。この場合、ベルヌーイ試行についての確率分布なので「ベルヌーイ分布」ともいいますが、より一般的には、2つの事象（事項）のどちらかが起こり、それを何回も繰り返した分布という意味合いで、「2項分布」と呼びます。

また、試行回数n回、片方の事象の確率がpの2項分布を、「Bi（n，p）」と書きます。さらに、2項分布は1つひとつばらばらの事象の集まりなので、**離散型分布**といいます。

確率分布は、推測統計学において極めて重要な概念です。なぜなら、多くの自然現象・社会現象が一定の確率分布に従うからです。このような分布を**パラメトリックな場合**と呼びます（これに対し、ノン・パラメトリックな場合とは、母集団がどのような分布に従うか予測できない場合を指

標本から母集団を推定する

現実の標本と母集団に対する推測との比較

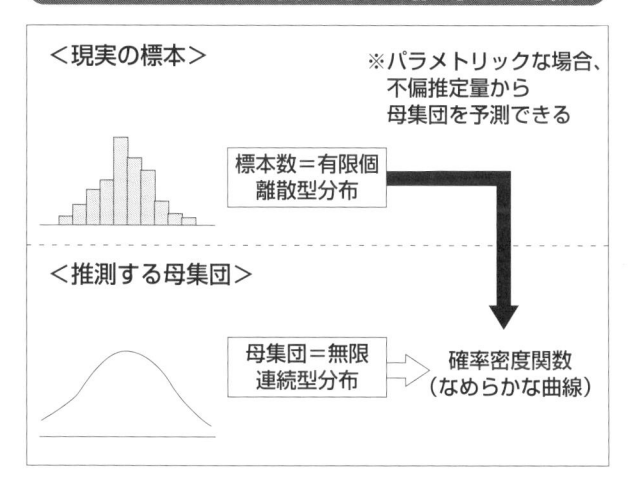

<現実の標本>

標本数=有限個
離散型分布

※パラメトリックな場合、
不偏推定量から
母集団を予測できる

<推測する母集団>

母集団=無限
連続型分布 → 確率密度関数
（なめらかな曲線）

す）。

　パラメトリックな場合、母集団の分布はいくつかの定数（これを「母数」という）が決まりさえすればわかります。たとえば上記のコイン投げの場合、確率pと試行の回数nがわかれば、確率分布図が書けます。統計調査では、母集団はきわめて大きい、もしくは無限である場合が多いため、確率分布を曲線として考えます。これを**確率密度関数**といい、離散型に対し**連続型分布**といいます。

　そして、母集団の母数に近く、母集団の分布をある一定以上の正確さで推測することができる標本の統計量のことを**推定量**といい、推定量が母数からあまり離れていない度合いのことを**不偏（性）**、不偏な推定量のことを**不偏推定量**といいます。

5-4 大数の法則

ここで**大数の法則**について説明しますが、その前に5-3をまとめてみます。

①多くの現象は、母集団がある程度以上の大きさの場合、何らかの確率分布に従うことが経験的に知られている。そのような場合をパラメトリックという

②母集団の分布は、パラメトリックな場合、いくつかの母数がわかれば判明する

③標本の推定量が不偏推定量であれば、標本からパラメトリックな母集団の性質をある程度の正確さで推定することができる

ここで③の正確さを高めるための条件は、標本の数を大きくすることです。コイン投げの例にあてはめれば、コインを投げる回数を多くすればするほど、表と裏が出る回数が半々に近似する可能性が高くなります。

私たちは、「本当なら」コインの裏表が出る確率は半々になるはずだと思っています。このことを**真の確率**といいます。そして、これを数学的に証明するのが大数の法則です。

ここでは厳密な証明は省きますが、たとえば母集団が、コイン2項分布 $Bi(10, \frac{1}{2})$ だとすると、5-2の図のようになります。このとき、表が4、5、6のいずれかになる確率は「$^{336}/_{512} ≒ 約0.65625$」です。ここでnを増やすと確率は上昇していき、n=100では96%以上がその範囲に

大数の法則と標本平均の分布

<大数の法則>

→標本数が大きければ、標本の期待値（平均値）は「真の期待値」（母集団の期待値）に限りなく近づく

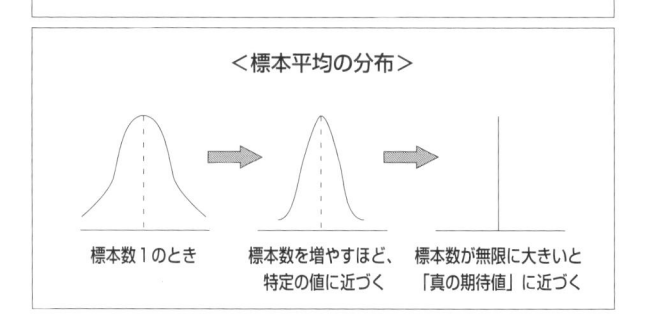

<標本平均の分布>

| 標本数1のとき | 標本数を増やすほど、特定の値に近づく | 標本数が無限に大きいと「真の期待値」に近づく |

くることがわかります。

このように、標本数が大きいと、その分「真の期待値」（コイン投げの場合はぴったり2分の1ということ。母集団の大きさは無限なので、あくまで架空のものとして考える）に近づきます。

また、この法則から、「標本数がある程度大きければ、標本平均が母集団平均に近似する確率が極めて高い」ということがわかります。それは以下のような理由によります。

標本の平均値の分散は、標本分散 σ^2 を n で割ったものになります。なぜなら、平均することでばらつきがならされるからです。つまり、nが大きくなるほど分散は小さくなるのです（付録-3も参照）。

5-5 標本誤差と標本数の関係

　ここでは、確率分布がどのようにして統計分析に利用されるのかを、まず考えてみましょう。次に、標本誤差と標本数の関係について、標本数を増やせば誤差が小さくなる確率が高いということを説明します。

　確率分布の中で、最も有名かつ統計分析に有効なのは**正規分布**です。

　多くの自然現象がそのまま、あるいは何らかの変換をすれば、この正規分布に従うことが知られています。正規分布以外の確率分布に従う母集団も多く知られていますが、本書ではとくに扱いません。

　ところで、前項で述べた大数の法則を発展させたものに、**中心極限定理**という定理があります。わかりやすくいうと、標本平均の確率分布が、単に標本数が大きくなれば集中するだけでなく、正規分布となることを証明したものです。図を見ればなんとなくわかるでしょう。

　この中心極限定理によって、「"母集団が何であっても"一定数の標本をとれば、その標本は正規分布に近づく」という定理が証明されています。

　ここでようやく、4 - 6 で述べた標本誤差について読者の皆さんも納得できる答えを出すことができます。

　結論からいえば、99ページの図20のような標本を選んでしまう可能性をゼロにすることはできません。どちらも121個のデータから20個のデータをランダムに選ぶので、

標本から母集団を推定する

標本数と不偏性

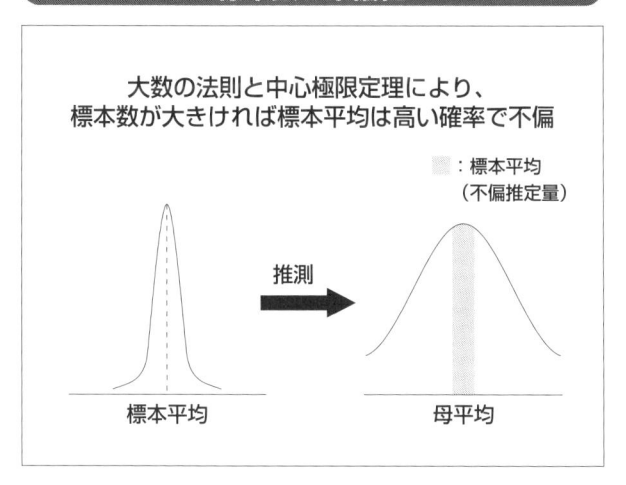

大数の法則と中心極限定理により、標本数が大きければ標本平均は高い確率で不偏

■：標本平均
（不偏推定量）

標本平均 →推測→ 母平均

どちらも起こる確率は $_{121}C_{20}$ で同じだからです（ランダムネスの法則）。

しかし、ここで、母集団を非常に大きくしたと考えましょう。すると中心極限定理により、標本平均は正規分布に従います。そのため、図20のような場合は、正規分布の端っこのほうにくるので、このようになる確率は極めて低いとわかります。逆に98ページの図19のようになる確率は、高いといえます（図参照）。

5-6 正規分布

　ここでは正規分布についてこれまで述べてきたことを整理し、そのうえでより詳しい説明をします。なぜなら、これ以降説明する正規母集団論において重要になるからです。

　正規分布が「左右対称で単峰の、なだらかな、歪みのない分布」であることは前述したとおりです。このことから、まず平均値・メディアン・モードが等しくなるという便利な性質を持ちます（第2章参照）。また、数式化がされているため、平均と分散という2つの値がわかれば、その形が完全に確定するという便利な分布でもあります。

　よって、母集団が正規分布に従うと仮定すると（正規母集団論）、理論上好都合な場合が多くなります。そして現実にも、そのままで正規分布に従うデータや、何らかの変換をすれば正規分布に従うデータが多いため、利用価値も高いということが明らかになっています。

　これらを前提として、はじめに標準正規分布について、次に信頼区間の考え方について説明します。

　標準正規分布とは、正規分布を標準化したものです（2-8参照。Z得点の平均は0、分散は1になる）。また信頼区間とは、正規分布上において何らかのデータ（ある特定のデータでも、期待値でもかまわない）の中心からどのくらいの区間にどのくらいの確率で収まるかを示す概念です。なお、このときの確率のことを**信頼率**といいます。

　また、**信頼区間**を考える際には、標準正規分布で考える

標準正規分布

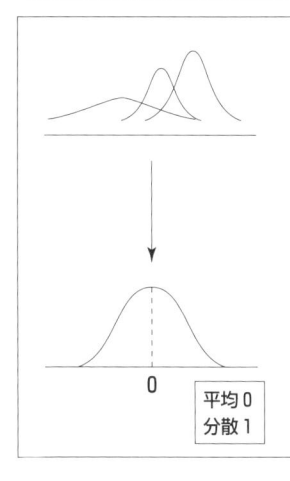

- さまざまな正規分布を標準化

⬇

- 一律に標準正規分布表で考えられる
- 信頼区間を、標準偏差何シグマかで考えられる

平均0
分散1

のが最もよいといえます。なぜなら、標準偏差いくつ分離れているかというのを指標にできるからです。そのため、付録として掲載したような標準正規分布表は、どんな統計学の教科書にも載っています。

221ページの表を見てください。標準偏差1つ分、すなわち1シグマの距離には、分布の約68.26%、2シグマの距離には約95.44%、3シグマの距離には約99.73%のデータが含まれます。そのため、正規母集団からランダムにデータを取り出して、期待値E（X）から2シグマ以上離れたデータが取り出される確率は5%未満、3シグマだとわずか0.3%未満となります。また、シックスシグマと呼ばれる経営管理方式は、ビジネスプロセスの管理のすべてを平均値から上下6シグマ以内に収めようとするものです。

5-7 点推定と区間推定

　以降、正規母集団の仮定のうえでの推定について具体的な手法を紹介していきますが、ここではその前提となる知識について説明します。

　まずは方法論です。推定の方法には、大別すると**点推定**と**区間推定**の2つがあります。

　点推定とは、母集団の母数を標本の推定値から推定する方法です。その際、推定値に求められる性質が①不偏性、②一致性、③有効性の3種類あります。

①**不偏性**……5－3、5－4で説明済みだが、より厳密にいうと、推定値の期待値が母集団の未知の母数にできるだけ近いほうがよいと定義される。5－4「大数の法則」で示したように、標本がある一定以上の大きさになれば標本平均は母集団平均の周りに近づくため、標本平均は母平均に対して不偏性を満たす（すなわち不偏推定量）。しかし、標本分散は母分散に対して不偏性を満たさず、別の基準が必要になる（理由は後述）

②**一致性**……標本数を増やせば増やすほど、その推定量が母数に近づいていくという性質

③**有効性**……推定量はできるだけ分散が少ないほうがよい、という性質

　次に区間推定です。

　点推定は推定値を1つに定めてしまいますが、そもそも全体像がわからない母集団を考えるのに、標本を調べただ

標本から母集団を推定する

点推定と区間推定

点推定	区間推定
最適な推定量を確定	標本と母集団のズレも考える

けで母数を1つの値に決められるというのは不自然です。

そこで、母数の推定量はぴったりとは決まらないことを前提に、それでもこれくらいの範囲には入るだろうというように考えるのが、区間推定です。別のいい方をすれば、「幅のある推定」ともいいます。その際の基準となるのが、前項で説明した信頼区間です。

点推定は、何らかの推定量が正規母集団上のどの点にくるのが最も適当かを考えるものです。一方、区間推定はそこから一歩進んで、その点からどのくらいの範囲にどれくらいの確率で実際の母数があてはまるかを考えるものです。そのため、点推定→区間推定の順番に理解していくことが大切です。

5-8 点推定

それでは、点推定の理論について見ていきましょう。ここでは、母平均および母分散に関する点推定について考えます。またその前提として、標本数nはある程度以上（具体的にはn≧30くらい）として考えます。

①母平均

5 - 4で述べた大数の法則により、標本数がある程度大きければ不偏推定量として使えるということがわかりました。

②母分散 σ^2

（これ以降、分散について3つの新しい記号が出てきますが、巻末の「統計記号一覧」にその見分け方を掲載してあるので、参照しながら読んでください）標本分散は不偏性を満たさないことについては前項で述べたとおりです。

標本分散の式は次のようになります。

$$標本分散\ S^2 = \{(x_1 - \bar{x})^2 + (x_2 - \bar{x})^2 + \cdots (x_n - \bar{x})^2\} / n$$

しかし、これでは実際の母分散より小さめの値が出てしまいます。そこで母分散の推定量に関しては、次の式が有効です（不偏分散＝標本から推計される母分散の推定値）。

$$不偏分散\ s^2 = \{(x_1 - \bar{x})^2 + (x_2 - \bar{x})^2 + \cdots (x_n - \bar{x})^2\} / n - 1$$

標本から母集団を推定する

不偏分散の求め方

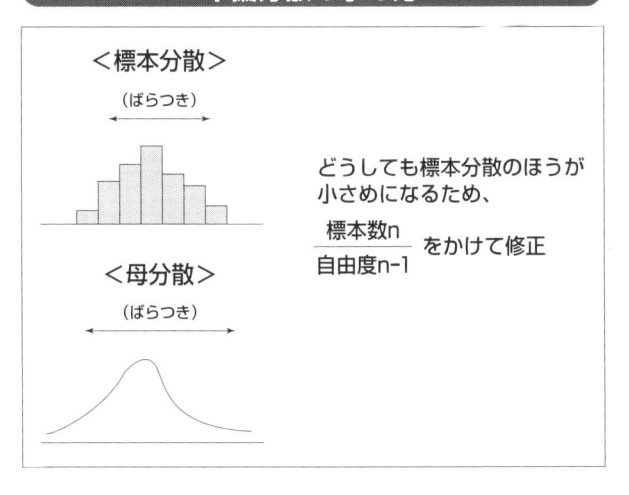

<標本分散>
(ばらつき)

<母分散>
(ばらつき)

どうしても標本分散のほうが小さめになるため、

$\dfrac{\text{標本数n}}{\text{自由度n-1}}$ をかけて修正

　これは数学的に証明されている事実ですが、ここでは、なぜそうなるのかというイメージだけをつかんでください。確率分布では、データの個数は限りなく大きい、あるいは無限大だと考えます。その中には、母平均から離れたデータも含まれています。しかし、この中から標本を取ると、そういう誤差の大きいデータが選ばれる確率が低く、中心部分に偏った（ばらつきの少ない）データが取られがちになります。そのため、標本分散は母分散より小さめに出ます。そこで、分母をn－1にすることによって修正します。

　このn－1のことを**自由度**といいますが、それはこの式、つまり「$(x_1-\bar{x})^2$、$(x_2-\bar{x})^2$、…$(x_n-\bar{x})^2$」の中で、n－1個が決まってしまうと、$\bar{x}=x_1+x_2+\cdots x_n$なので、最後の1つは自動的に決まるからです。

5-9 区間推定① 〜t分布〜

次は、区間推定について説明します。ここでは、まずt分布について述べます。

繰り返しになりますが、区間推定とは推定量が母数とズレることを前提として標本を分析する手法です。よって、そのズレを数学的に厳密に考える方法が必要です。いい換えれば、ズレるのは仕方がないが、そのズレ方を予測できるということです。そのための確率密度関数が、**t分布**と**カイ2乗分布**です。

t分布は標本の確率分布を示したもので、図のように標準正規分布に似ていますが、①標準正規分布よりも少し裾野が広く、標本数nによってその形が変わります。

①は、標準偏差が少し大きめということです。どういうことか説明しましょう。まず、標準正規分布とは正規分布を以下のように標準化した分布です。

標準正規分布Z＝（正規分布xの密度関数−$\bar{x}$）
　　　　　　　÷標準偏差（＝分散の平方根）

ここからの説明で問題になるのは、この中の「標準偏差」です。t分布というのは、標本の情報しかわかっていないときに考えるものです。つまり母分散σ^2と、母集団の標準偏差σはわかっておらず、標本分散S^2、標本の標準偏差Sから推定することになります。しかし、前項で述べたように、Sは母分散よりも小さめに出るため、母分散の正確な推定量としては不偏分散s^2を使うべきです。

t分布

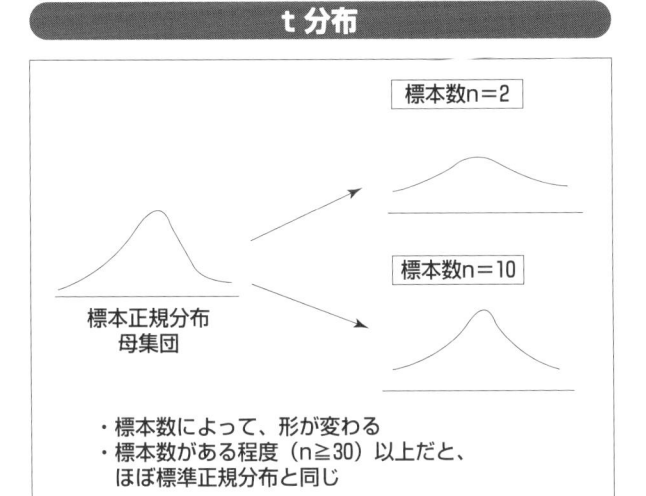

- 標本数によって、形が変わる
- 標本数がある程度（n≧30）以上だと、ほぼ標準正規分布と同じ

また、前項で説明したように、S^2 を $n/n-1$ 倍すれば、s^2 になります。この s^2 を使った確率密度関数が、t分布です。S^2 を $n/n-1$ 倍するという過程が含まれる分だけ、標準正規分布からズレていることになります。すると、標本分布と母集団分布とのズレを修正した分布として、t分布のような形になります。

なお、標本分散の従う確率密度関数をカイ2乗分布といいますが、これについては5-13で説明します。

t分布に関して重要なのは、標本が大きい場合、t分布は限りなく標準正規分布に近づき、その差は無視できる程度になるということです。一方、小標本の際には標準正規分布ではなくこれらを使わなければなりません。そのためこれ以降は、標本の大きさも考えていきます。

5-10 区間推定② ～平均値の推定～

　t分布を使って推定を行うのが、母平均の区間と、母比率の区間です。具体的な計算例は第8章にゆずり、ここでは理論について考えていきます。

　まずは、**標本平均の確率分布**について説明しましょう。

　前項の補足にもなりますが、標本平均は、標本が大きくなればなるほど「真の期待値」の周りに集中し、標本数がある一定以上になれば不偏推定量とみなしてよいということは、5-4で説明したとおりです。この場合は、真の期待値E（X）とは母平均です。さらに、中心極限定理によれば、それは正規分布の形で集中するということも5-5で述べました。

　標本平均はいくつかの標本を足して個数で割ったものなので、t分布に従います。しかし、大数の法則により、標本数がある一定数以上ならば、t分布は標準正規分布とみなしてもよいわけです。ここでは、小標本と考えます。

　では、具体的な手法を紹介しましょう。

　母平均の標本平均による推定は、次のような公式に基づきます（なお、信頼区間は信頼限界ともいい、その区間の上側の値を上側信頼限界、下側の値を下側信頼限界と呼ぶ）。

母平均の信頼区間＝標本平均の点推定値±
$\sqrt{不偏分散 s ／データ数 n}$（t分布のときは自由度 n − 1）

標本から母集団を推定する

信頼区間（標準正規分布の場合）

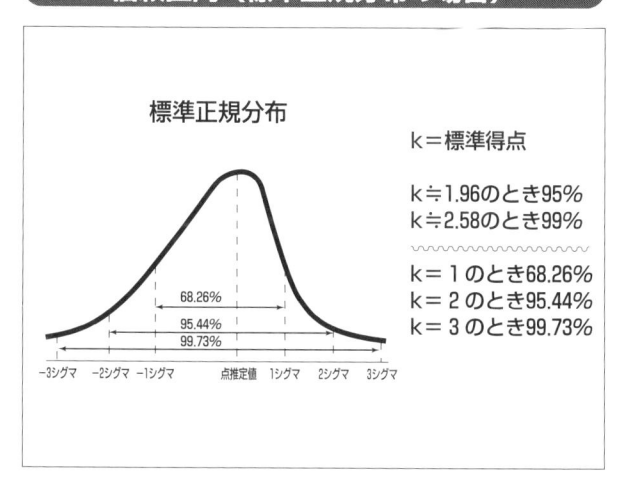

標準正規分布

k＝標準得点

k≒1.96のとき95%
k≒2.58のとき99%

k＝1のとき68.26%
k＝2のとき95.44%
k＝3のとき99.73%

（グラフ内：68.26%、95.44%、99.73%、−3シグマ −2シグマ −1シグマ 点推定値 1シグマ 2シグマ 3シグマ）

※kはt分布表や標準正規分布表の、信頼率に対応する信頼度の数値。標準正規分布のときは、k≒1.96のとき95%、k≒2.58のとき99%を使うことが多い。5-6参照

　まず、点推定により標本平均を母平均の不偏推定量とみなしますが、その上下のズレを考えて±します。その範囲に、kに対応する確率で、母平均があてはまることになります。この式自体はt分布を使うことを想定していますが、n≧30のときは、t分布は標準正規分布に限りなく近いものとみなして、標準正規分布表を使って計算します。

　なお、ここでは理論的な説明のみにとどまったため、わかりにくい点もあることでしょう。8-6を参照して理解を深めてください。

133

5-11 区間推定③ 〜比率の推定〜

次に、**母集団の比率の推定**について考えます。

この場合の比率とは、選挙における得票率やテレビの視聴率などが挙げられます。少し式の形は違いますが、母集団が正規分布に従うという仮定と、標本がt分布に従うという仮定は母平均の場合と同じで、考え方は似ています。ただ、比率を考える際に小標本を使うことはあまりなく、標本分布を標準正規分布とみなします。

$$母比率の信頼区間 = 標本比率の点推定値\hat{p} \pm k\sqrt{\frac{\hat{p}(1-\hat{p})}{データ数 n}}$$

この式を使った具体的な計算については8 − 7に譲るとして、ここでは別の観点から比率の推定について考えてみます。

前述のように、比率の推定で最も有名な例は、選挙における開票速報とテレビ視聴率調査です。これら2つに共通する問題は、いかに少ない標本数で、いかに正確な結果を得るかということです。しかし、この2つはトレードオフ（表裏一体）の関係にあるといえます。では、その際にどうやってバランスをとるかという問題を、数学的に考えてみましょう。

母平均にしても母比率にしても、標本誤差となる部分は$\sqrt{}$の中の分母の部分にデータの個数nが含まれています。

標本数と結果の信頼性の関係

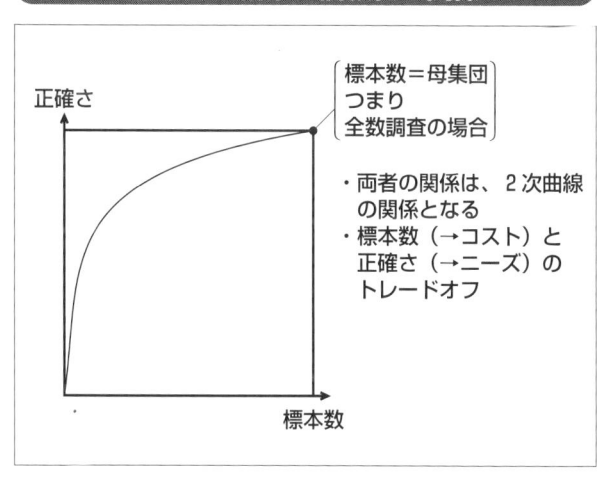

```
正確さ
 ↑
 |            ┌─ 標本数＝母集団
 |           /   つまり
 |          /    全数調査の場合
 |         /
 |        /   ・両者の関係は、2次曲線
 |       /     の関係となる
 |      /    ・標本数（→コスト）と
 |     /      正確さ（→ニーズ）の
 |    /       トレードオフ
 |   /
 |  /
 | /
 |/_____→ 標本数
```

　これは、標本数nの増加に伴う誤差の減少は、$\sqrt{n}$ の割合でしかないということを意味しています（図参照）。よって、精度を2倍にしようと思ったら4倍、3倍にしようと思ったら9倍の標本を集めなければならないことになり、その分のコストがかさむことになります。

　そのため、たとえば全国区の標本調査と、東京都を対象とした標本調査において、標本数が10倍違うということにはなりません。どちらも数百、せいぜい数千が標本の人きさとしては限界であり、それ以上標本数を増やしても精度はほとんど変わりません。

　標本数をどれくらい集めるかという問題は、母集団の大きさではなく、目的とする調査がどの程度の正確さ（信頼率、信頼度）を要するかということに依存するのです。

5-12 区間推定④ ～標本数の推定～

次は、標本数の推定について説明しましょう。

5-10では母平均および母比率を推定しましたが、これらと正反対のものを求めます。すなわち、前項で述べたように、母集団がある程度大きければ、信頼率は標本数にもっぱら左右されるということです。これまでは、標本数の大きさから信頼区間を求めてきましたが、ここでは逆にある程度の信頼度を満たすにはどの程度の標本数が必要か、という問題について考えます。

まず、標本平均については次の数式から求められます。このとき、母集団の分散については過去のデータからわかっているか、もしくは標本分散から推定するとします。標本数の推定を考えるときは、ある程度標本数が必要な場合が多いため、標準正規分布を使用します。

$$母平均推定の標本数 = \left(k \times \frac{標準偏差}{誤差\ e}\right)^2$$

kは、標準正規分布表での特定の信頼率に対応する統計量、その右側は母集団の標準偏差を、想定する誤差で割ったものです。つまり、kに対応する信頼率（繰り返しになるが、95％や99％のときが多い）で、推定量の誤差が、点推定値からe以内の誤差に入るためには、どのくらいの標本数が必要かを考えるのです。

どのくらいの正確さで区間推定を行うかによって標本数が変わってくるわけですが、「誤差をx倍減少させるため

誤差

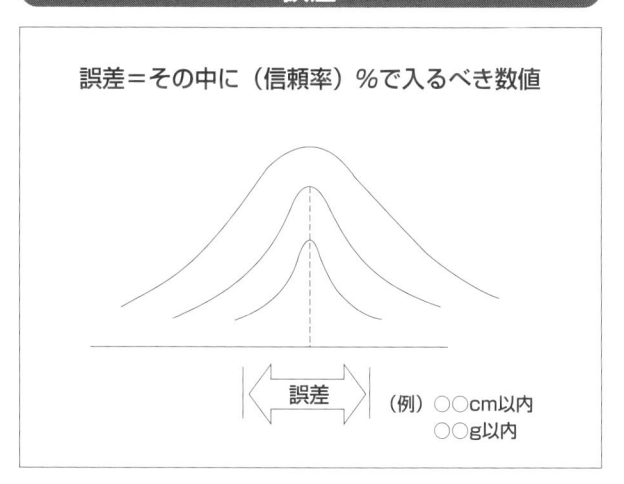

誤差＝その中に（信頼率）％で入るべき数値

（例）○○cm以内
　　　○○g以内

には、標本数をxの2乗倍にしなければならない」という前項で述べた定理がここでも確認できるでしょう。具体的な計算例については、8 - 6で説明しているので、そちらを参照してください。

次に、標本比率の計算式は以下のとおりです。

$$母比率推定の標本数 = (k \times \frac{\sqrt{p(1-p)}}{誤差\ e})^2$$

これも標本数の場合と同様に、すでに説明したことを別の観点から述べているだけのことです。ただし、この場合は母比率がある程度予測されていることが前提となっています。これについても、8 - 7で具体例を挙げています。

5-13 区間推定⑤ 〜カイ2乗分布〜

さて、今度は母分散の推定について述べましょう。

ビジネスの世界では、平均がいくつということも確かに大切ですが、それ以上にばらつきがないことが重要である場合が多いといえます（8-1参照）。

標本分散の分布を表しているのが、**カイ2乗分布**です。カイ2乗とは、データの「期待値からの外れ方」を表し、その和の確率分布を考えるものです。式は、

$$カイ2乗和\ \chi^2 = \frac{\{(実現値x_i) - (期待値\bar{x})\}^2}{(母分散\ \sigma^2)}\ の和$$

となります。分子は、実現値（実際の値）と、期待値の差を示し、分母は、標準化のために母分散（わからない場合は不偏分散 s^2 を使う）で割っています。

ここで重要なのは、カイ2乗分布もまた、t分布と同じように、標本数によって形が変わる確率密度関数だということです（図参照）。t分布は、正規分布に形も性質も似ていましたが、このカイ2乗分布は正規母集団から取り出した標本のデータを2乗する計算過程が含まれているため、少し違った形になります。

上記の式において標本の期待値 $\bar{x}$ は、その他の実現値の和から計算されます。ということは、n個データがあったとすると、n－1個が決まると残りの1つの項目は自動的に決まるということです。

カイ2乗分布

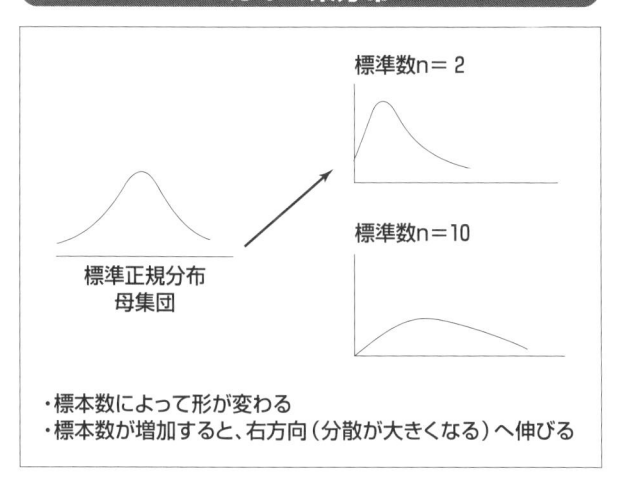

- 標本数によって形が変わる
- 標本数が増加すると、右方向（分散が大きくなる）へ伸びる

（図：標準正規分布母集団／標準数n=2／標準数n=10）

したがって、自由度はn－1であり、あてはまる個数がn個のとき、自由度n－1のカイ2乗分布表を見て考えます。図を見ればわかるように、自由度が高くなるほど、右になだらかな山形の分布になります。

この分布を使って、正規分布やt分布と同じように、区間推定などを行うことができます。母分散の区間推定は、標本数nに対応する自由度n－1のカイ2乗分布に、そのまま従います。

カイ2乗分布は、カイ2乗検定と呼ばれる検定の際にも使われます。この章で扱った区間推定の実例は8－8に紹介しています。

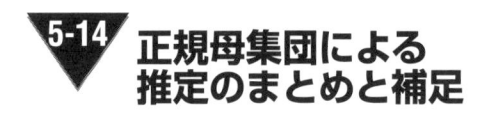

5-14 正規母集団による推定のまとめと補足

本章で説明した概念はなかなか難しかったのではないでしょうか。そこで、正規母集団論を仮定した統計的推定について、まとめ直してみましょう。

①正規母集団からとられた標本の確率分布はt分布に従う
②標本平均・標本比率の確率分布はt分布、標本分散はカイ2乗分布に従う。これらは、標本と母集団の標本誤差を念頭に置いた分布である
③しかし、大数の法則と中心極限定理により、標本数がある程度以上になれば標準正規分布と考えて、差し支えない

さて、最後に補足が2つあります。

1つめは、**有限母集団修正**についてです。

ここまでは、母集団が無限であることを前提にして説明してきました。なぜなら、正規分布の確率密度関数という、理想的な曲線がそのまま使えるからです。しかし、実際には母集団が有限である場合、その差を修正することが望ましいといえます。そのための作業が有限母集団修正です。

具体的には、これまで説明した過程によって得られた結果に対し、N−n／N−1を掛けます。Nは母集団の総数、nは標本数です。この数値は、母集団が大きくなればなるほど1に近づき、母集団が無限になったとき（つまり、有限母集団でなくなったとき）1になります。

2つめは、標本数によってt分布と標準正規分布を使い

まとめと補足

◇まとめ(正規母集団論)
- 標　　本
- 標本平均
- 標本比率
→ t分布 (n<30)
　正規分布 (n≧30)

- 標本分散 → カイ2乗分布

◇有限母集団修正
$\frac{N-n}{N-1}$ をかける

分ける際の基準についてです。

　本書ではn=30を境界線に指定しましたが、実際にはn=25、n=50などが使われることもあります。しかし、n=30が最も一般的に使われているようです。

　本書は、推測統計に関してはイメージをつかむことに重点を置いたコンセプトの下に編集されています。そのため、厳密に考えれば必要な数学的証明や、説明の過程を省いている部分が多々あります。数式を使ってしっかり説明されないと納得できないという人は、統計学の教科書の多くはそういった作りになっているので、それらをじっくり読んでみることをおすすめします。その際にも本書を読み込んでからのほうが、理解が早いのはいうまでもありません。

── 《チェックポイント》 ──
第5章のココだけは理解しよう！

◆問題◆

- □5-1　「確率論」と「ランダムネスの法則」の考え方の違いは？
- □5-2　ベルヌーイ試行で、組み合わせを計算する方法は？
- □5-3　連続型分布の曲線を何という？
- □5-4　大数の法則によれば、どうすれば標本平均が「真の期待値」に近づく？
- □5-5　標本誤差が起こる確率を小さくする方法は？
- □5-6　正規分布はどんな分布？
- □5-7　推定の方法論には2種類あるが、何と何？
- □5-8　標本分散と不偏分散はなぜ違う？
- □5-9　t分布はなぜ標準正規分布とズレている？
- □5-10　t分布を標準正規分布と同じとみなしてよいのは、どんなとき？
- □5-11　誤差を7分の1にするには、標本数は何倍にすればよい？
- □5-12　信頼率は、通常何パーセントを使うことが多いか？
- □5-13　標本分散のばらつきを考えるための分布は何？
- □5-14　母集団が無限でないために行う修正作業を何という？

◆解答◆

- □5-1　確率論は、物事が起こる確率を客観的に数値化できると考える。一方、ランダムネスの法則は、物事は次に何が起こるかわからないと考える。これは、どちらが正しいともいい切れず、見方の違い

     である
- ☐5-2 コンビネーション
- ☐5-3 確率密度関数
- ☐5-4 標本数を増やす
- ☐5-5 標本数を増やす
- ☐5-6 左右対称で単峰の、なだらかな歪みのない分布であり、平均・モード・メディアンが等しい。また、数式化がされているため、平均と分散という2つの値がわかれば、その形が完全に確定する
- ☐5-7 点推定と区間推定
- ☐5-8 標本のばらつきは、必然的に母集団のばらつきより小さくなるため
- ☐5-9 標本分布と母集団分布とのズレをはじめから前提としてとして分布を考えているため
- ☐5-10 標本数が一定以上のとき。一般的には、n=30を基準にすることが多い
- ☐5-11 49倍
- ☐5-12 95%か99%
- ☐5-13 カイ2乗分布
- ☐5-14 有限母集団修正

第6章
仮説の正しさを検定する

6-1 仮説とは

　第5章では**推定**の基本的な考え方について述べましたが、第6章では**検定**の考え方について説明します。

　推定が、母集団が確率分布に従っていると仮定して、標本から母集団について予測を行う手法だとすれば、逆に検定は、現実のデータがその予測にあてはまっているかどうかを確認する手法です。

　この推定と検定は、しばしば推測統計学の2本の柱といわれますが、その原理はまったく同じです。したがって、第5章の内容が理解できていれば、本章の内容もスムーズに頭に入ってくるでしょう。逆に、第5章の内容がよくわからないという人は、第6章に進む前に何度も読み直して理解するようにしてください。

　検定は「仮説検定」と呼ばれ、仮説を立ててその正しさを検証するという手法をとる点に特徴があります。また、特別な用語や概念を使う点も違うところです。そこで、はじめに仮説の考え方と、検定に特有の用語・思考プロセスについて説明しましょう。

　検定における仮説には、**帰無仮説**と**対立仮説**があります。

　統計的検定の考え方では、まず証明したい仮説と反対の仮説を、帰無仮説（はじめから無に帰するつもりの仮説、という意味合い）として立てます。そして、それが正しくないことを証明できたときに帰無仮説を**棄却**（その仮説を否定すること）します。そこで対立仮説（帰無仮説に対立

推定と検定

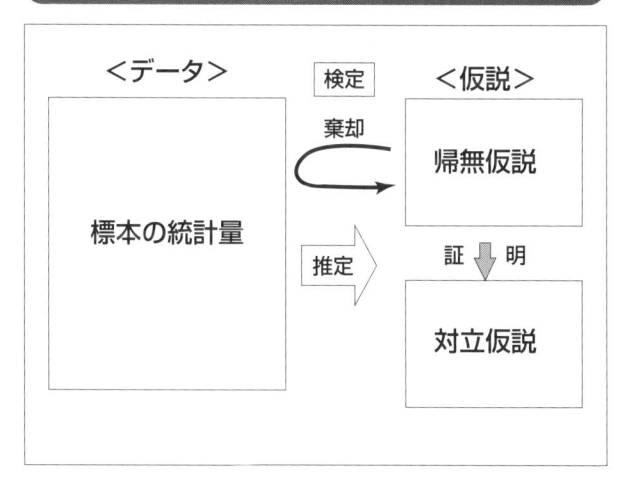

```
<データ>          検定        <仮説>
                   棄却
 標本の統計量    ──────→    帰無仮説

                   推定        証 明
                  ────→      ↓
                              対立仮説
```

する仮説、つまり証明したい仮説）が証明されることになります。

このような順番をとるのは、次の理由からです。

統計的推測（推定・検定）の基本的な考え方は、ある意味で完全な厳密性を捨てることによって、その分全数調査をする時間的・費用的コストを削減したい、という点にあります。ですから、はっきり特定できるアウトプットを求めることはしません。その代わりに、はっきり特定できる誤りを捨てていくことのほうが重要なのです。したがって、帰無仮説としては曖昧さがなく、しかも捨てやすい（捨てたい）仮説を立てていくことになります。

6-2 2種類の誤り、両側検定と片側検定

　引き続き、帰無仮説と対立仮説について説明します。

　帰無仮説と対立仮説は互いに入れ替え可能で、検定を行う人が都合のよいように決めることができます。

　その線引きをする基準は、推定の際の信頼区間・信頼率で考えるのですが、検定の場合はそこから外れる可能性を考えます。つまり信頼率95％なら、そこから外れる５％について考えることになります。これを**危険率**といいます。

　その際に、確率分布上で考えて証明したい仮説が適当だと判断し、帰無仮説を棄却することを「有意である」といい、逆に確率分布上で外れてしまう場合は棄却することができず、「有意でない」といいます。そのため、危険率のことを**有意水準**ともいいます。

　次に、①２種類の誤りと、②片側検定と両側検定の考え方について説明します。

①２種類の誤り

　図を見てください。仮説（この場合は対立仮説）には正しいものと誤ったものがあり、それを検定した結果、仮説を採択するか棄却するかが考えられます。正しい仮説を採択し、誤った仮説を棄却するのは問題ないのですが、正しい仮説を棄却してしまう場合を「第１種の誤り」、誤った仮説を採択してしまう場合を「第２種の誤り」と呼びます。

　これらの誤りのどちらがより重大かは、ケースによります。たとえば、「この電車は次の運行で事故を起こす」と

仮説の正しさを検定する

2種類の誤り、両側検定と片側検定

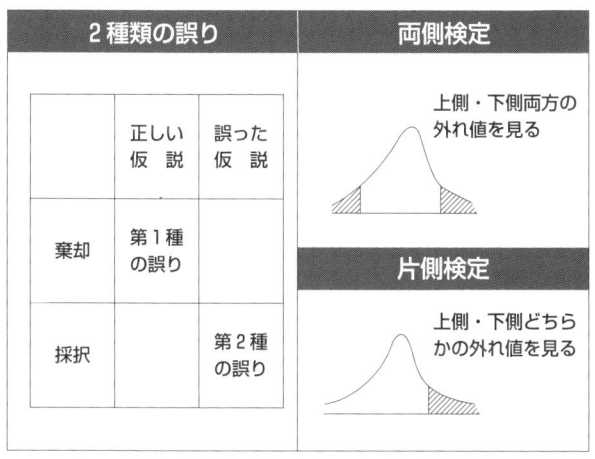

2種類の誤り

	正しい仮説	誤った仮説
棄却	第1種の誤り	
採択		第2種の誤り

両側検定

上側・下側両方の外れ値を見る

片側検定

上側・下側どちらかの外れ値を見る

いう帰無仮説に対し、実際に事故の危険性が高いにもかかわらず運行させれば第1種の誤り、事故につながる特別な原因はないのに運行停止するのが第2種の誤りになります。しかし、このとき結果のリスクを考えれば、より重大なのは第1種の誤りです。しかも仮説の立て方を反対にすれば、これらの内容も反対になります。

②片側検定と両側検定の考え方

検定でも、推定のときと同じような確率分布を考え、その中心からある一定以上大きすぎないか、または小さすぎないかを検証します。しかし、それには片方だけ考えればよい場合と、両方考えなければならない場合とがあり、前者の場合を片側検定、後者の場合を両側検定といいます。この使い分けも、調べる対象の性質に左右されます。

6-3 検定の発想

　検定の考え方は本質的に推定と同じだと述べましたが、具体的にどういうことでしょうか。ここでは具体例を挙げて説明していきましょう。

　ここで、28ページのケース1に戻ってみましょう。

　この34人を、全労働者の母集団からとられた標本と仮定します。この標本について平均時給を分析対象として、その分布を考えます。

　前述のように、収入に関係する分布の多くは右に歪んだ分布となります。しかし、6-3と6-4に限り、便宜上、労働者の平均時給が正規分布に従うと仮定して（つまり正規母集団として）話を進めます。ここでは推定に続いて検定を行い、その道筋をつかむことを目的とします。

　賃金構造統計調査によれば、平成15年度の全労働者の平均賃金の時給換算分（年間賞与などを除く）は、約1820円となります。母分散は不明なので不偏分散を用いて推測すると、このケースでは約977.038（標準偏差は988）です。この数値から理論的に、ある特定の正規分布を仮定することができます。

　ここまでの過程が推定です。

　もちろん、これは仮のものなので、現実の母集団がきれいにそれに従っていることはあり得ません。ただし、あまりにもズレている場合は、そこに何らかの問題があったことになります。そこで、そのズレを許容すべきか否かの基

仮説の正しさを検定する

危険率の意味

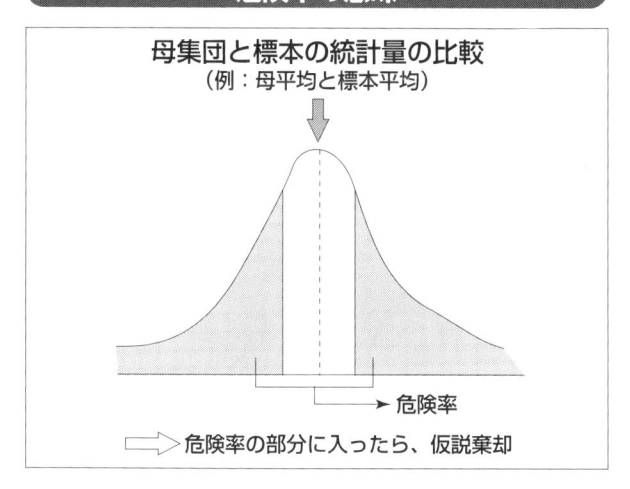

母集団と標本の統計量の比較
（例：母平均と標本平均）

→ 危険率

⇒ 危険率の部分に入ったら、仮説棄却

準を有意水準 a として決め、この標本が適切として採択されるべきか、棄却するべきかを考えていきます。

その際には、主に平均値と分散について分析を行い、検定していくのですが、仮説と計算結果が合致しない場合、次の2つの可能性が考えられます。

①標本が母集団から適切に抽出されていない（つまり、非標本誤差）

②その標本が母集団を正しく代表していないか、母集団に関する仮定が誤っている。いずれにせよ標本と母集団の性質・傾向が一致していない

6-4 母平均・母比率に関する検定

　ここでは、母平均に関する統計的検定の方法を示します。例として、28ページのケース1のデータを使っていきます。

　前項で述べたように母集団（全労働者）の平均値は1820円であり、標本平均は約2160円です（2-3参照）。これは、数学的にどれくらいの差になるのでしょうか。

　繰り返しになりますが、標本が母集団を適切に代表していると仮定し、母集団の性質を予測するのが推定です。しかし、この検定のケースでは、はじめから母平均がわかっているため、母平均と標本平均の差から、標本が有意かどうかを判定することになります。

　実際の数式は次のようになります。検定の際にも推定と同様、基本は t 分布で考えますが、このケースでは標本数が n＝34＞30と、ある程度大きいので、標準正規分布表を使い、両側検定を行います。

$$\text{検定統計量T（平均値）} = \frac{\text{標本平均}\bar{x} - \text{母平均}\mu}{\sqrt{\text{分散}^2 / \text{データ数 n}}}$$

　この場合、$\bar{x}$は2160、μは1820になります。

　分散に関しては、母分散がわかっているときはそれを使えばいいのですが、実際にはそういうことはほとんどないため、標本分散を補正した不偏分散を使います。これに従って出した検定統計量が、確率分布上のどのくらいの点に相当するかによって、棄却すべきか否かを判断します。そ

正規母集団の仮定

正規母集団の仮定が必ずしも正しいとは限らない

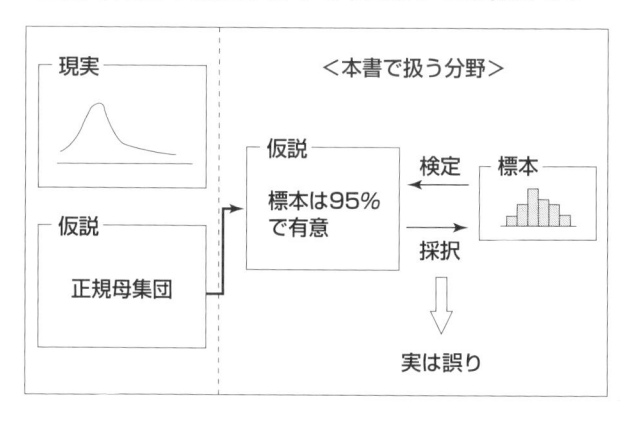

```
┌現実─────┐         <本書で扱う分野>
│   (図)    │      ┌─仮説──────┐   検定   ┌標本─┐
└──────┘      │ 標本は95%  │ ←────  │(図) │
┌仮説─────┐ →  │ で有意     │  ────→  └───┘
│          │     └───────┘   採択
│ 正規母集団 │              ↓
└──────┘           実は誤り
```

して、このケースではT≒2.01となります。正規分布表を見ると上側信頼限界は約0.0222となるので、有意水準 $a = 0.1$（片側につき0.05）なら仮説棄却できず、$a = 0.02$（片側につき0.01）ではじめて棄却となります。つまり95％の正確さでよければ、この標本は平均値に関して採択できるということです。もっともこれは、母集団が正規分布に従うという現実とは異なる仮定の下での話です。統計手法においてはさまざまなファクターを乗り越えなければ正しい推測は不可能であり、早合点は禁物なのです。

比率の検定に関しても考え方はまったく同様です。以下の数式について、5-11を参考に考えてみてください。

$$\text{検定等計量T（比率）} = \frac{\text{標本比率}\,\hat{p} - \text{母比率}\,p}{\sqrt{\hat{p}(1-\hat{p})/\text{データ数}\,n}}$$

6-5 母分散に関する検定

　ここでは「分散」、つまりばらつきの大きさについて検定します。製品管理など、ばらつきが大きいと困るケースは、実際のビジネスにおいては多く存在します。例として、66ページのケース5で取り上げた円相場の推移について考えましょう。

　母集団、すなわち1995年5月31日から2005年5月18日までの推移を見ると、月末終値の平均は約115.18、分散は約116.44です。そして次ページの図は、2004年5月から2005年4月までの、月末の終値の推移です。この10年分のデータを母集団として、この1年間のデータのばらつきはどの程度のものかを検定します。

　次の数式にあてはめてみましょう。

　　検定統計量 χ^2 （カイ2乗）
　　　＝自由度（n－1）×標本分散 s^2 ÷母分散 σ^2

　このケースでは、自由度は標本数が12個なので11となり、自由度11のカイ2乗分布表を使用します。この標本の平均は約106.84、分散は約8.55なので、これに基づいて計算すると $\chi^2 \fallingdotseq 0.81$ となります。この場合、片側検定の上側確率で考えます。仮説は、「最新1年間のレート変動は、ここ10年間の傾向から見て安定している」となります。つまり、変動が大きい場合のみ、仮説を棄却するのです。

　これを自由度11のカイ2乗分布表で見ると、0.81という

本項の例について

自由度11のカイ2乗分布

2004年5月〜2004年4月までの、月末の終値の推移	
2005/ 4 /29	104.84
2005/ 3 /30	107.51
2005/ 2 /25	105.19
2005/ 1 /28	103.34
2004/12/30	103.08
2004/11/29	102.83
2004/10/29	105.82
2004/ 9 /29	110.86
2004/ 8 /31	109.19
2004/ 7 /30	111.31
2004/ 6 /30	108.78
2004/ 5 /31	109.39

・10年間の傾向変動よりばらつきが小さいのは正常

・ばらつきが大きいのは異常

⇩

上側片側確率

値はまったく正常な範囲にあり、棄却のしようがありません。逆に、下側だと $α=0.005$でも有意水準を超えるため、むしろここ10年の変動から見れば異常に安定しているということになります。しかし、それは別に驚くことではないでしょう。むしろ、10年間の推移に比べて上側確率で異常なばらつきがあるとすれば、ここ1年に大変動があったということになり、注目すべき事態です。

このように、両側検定か片側検定かを決めるのは、その調べる対象の性質によります。

ここでは、モデルとして月末のレートのみを抽出しましたが、実際にはもっと細かいレベルで見ていくほうが正確なのはいうまでもありません。

6-6 適合度の検定

　検定の手法を実践面で使うときに、とくに重要となるのが、**適合度の検定**と**独立性の検定**です。

　ここでは適合度の検定について説明します。

　これは、仮定された理論上の確率分布に対して、標本から求められた数値が適合しているかどうかを判断する手法です。製品管理などで、複数の結果を考える場合などに有効です。

　ある属性によって、n個のデータがm種類の観測カテゴリーに分類されるとします。その理論確率をそれぞれ p_1、p_2、…p_iとすると、理論的に観測される個数（理論度数、または期待度数という）は、np_1、np_2、…np_iとなります。一方、実際に観測された観測度数を f_1、f_2、…f_iとします。そして、これらの間の分散のカイ2乗和を考えます。

　たとえば、次のような例があてはまります。

　あるクジの理論的な当選確率を、1等、2等、3等、ハズレの順に0.001、0.01、0.1、0.889とします。これに対して、実際の売上と払い戻しの結果から、1等から順に4個、57個、661個、5992個の割合で売れていたとします。この関係を図示すると、次ページの図のようになります。

　そして、「このクジの結果は理論値に合致している」という仮説を立てます。

　これに対し、カテゴリーが4つであるため、自由度3の

仮説の正しさを検定する

理論値と実際のズレを検定

この現象のカテゴリー	1等	2等	3等	ハズレ	計
観測度数	4	57	661	5992	6714
理論確率	0.001	0.01	0.1	0.889	1
理論度数	6.714	67.14	671.4	5968.746	6714
カイ2乗和	1.097	1.531	0.161	0.103	2.892

部分の和が分散の和

↓

カイ2乗検定で適合度の判定

カイ2乗検定を行います。すなわち、適合度基準が以下の数式によって定められているものの、これはカイ2乗和と同じになるということです。次の式を5-13の数式と見比べてみてください。

$$適合度基準 \chi^2 = (f_i - np_i)^2 / np_i$$

これを計算すると約2.89になり、これを $a = 0.02$ で両側検定してみると、下側確率が約0.11、上側確率が約11.34なので、カイ2乗値はこの間にあることになり、仮説は棄却されません。

すなわち、このクジは理論上の予測から大きく外れた結果を出してはいないことになります。

6-7 独立性の検定①
～確率論における独立性～

次は、独立性の検定です。これは、ある事柄と別の事柄との間の関係性の有無を調べるもので、マーケティングや組織管理などに活用できます。

独立とはもともと確率論の概念で、ある事象と別の事象が起こる確率の間に何も関係性がないことをいいます。

たとえば、2個のサイコロを振って1～6の目が出る確率は、それぞれのサイコロについて、すべて6分の1です。ここで片方のサイコロが8面体のサイコロに変わり、各面の出る確率が8分の1になったからといって、もう片方の目の出る確率がそれぞれ6分の1ずつであることは変わりません。

このような場合、「2つの事象は独立である」といいます。このとき、両者の間に因果関係はありません。

独立の逆は**従属**です。これは、片方の変数の結果がもう片方の結果に何らかの形で影響される場合です。

たとえばまず6面体のサイコロを振り、目が3の倍数のときは、次に8面体のサイコロを、それ以外のときは次も6面体のサイコロを振るとします。すると、2回目に何の目が出るかという確率は、はじめに振るサイコロの目に左右されることになります。

このような場合、「2つめの事象は1つめの事象に従属である」といいます。このとき、両者の間には因果関係があるといえます。

従属と独立

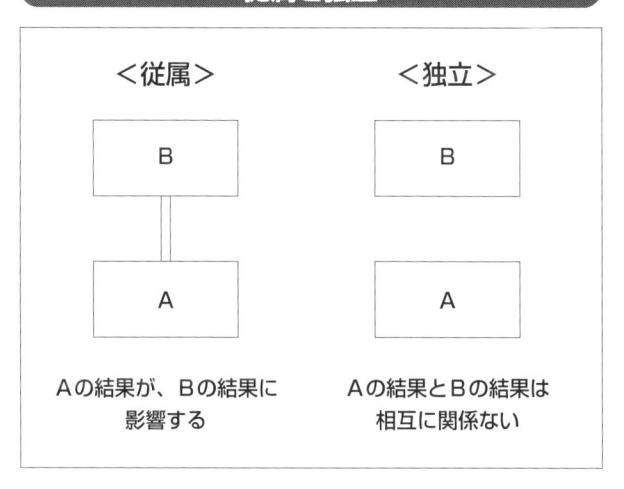

＜従属＞

B
|
A

Aの結果が、Bの結果に影響する

＜独立＞

B

A

Aの結果とBの結果は相互に関係ない

ちなみに、回帰分析について説明した際（3－5）に、説明変数の別名を独立変数、目的変数の別名を従属変数ともいうと述べましたが、それはこの知識と結びつけて考えれば納得できます。つまり、説明変数はそれ以上ほかのものに縛られていない独立な変数だと仮定し、目的変数は説明変数に従属しているために従属変数というわけです。

サイコロの例のように、理想的な期待値E（X）、いわば「真の値」を計算することができれば、独立か否かは簡単な数式で判別できます。簡単にいうと、事象Aと事象Bがあるとき、AかつBになる確率が、Aになる確率とBになる確率の積に等しければ、両者は独立です。

6-8 独立性の検定② 〜統計的手法〜

 しかし、現実には完全に独立・あるいは完全に従属という結果が出るとは限りません。なぜなら、標本誤差が生じるからです。
 そこで、有意義になってくるのが独立性の検定です。つまり、カイ2乗検定を使うことによって、ある有意水準の下に両者が独立か否かを検定するのです。
 A、B、Cという3つの店舗を所有する経営者が、店舗によって従業員の満足度が異なるかどうかを検定するというケースで考えてみましょう。
 経営者としては、各店舗における従業員の満足度が一定のほうが都合がいいわけです。したがって、「従業員の満足度という要素は、店舗の違いという要素とは独立である」という仮説を立てて、この仮説を片側検定（評価が安定している分にはよい）で採択できればいいわけです。
 次ページ上図は、実際の調査の結果です。ここで、店舗の違いは従業員の満足度に影響しないという仮説を、数学的にそのままあてはめた結果が下図です。つまり、全店舗の合計値の満足度の割合 $153/180$ を、各店舗の従業員数にあてはめるとこのようになります。いわば理論値です。
 しかし、このような値があり得ないことは明白です。なぜなら、人の数が小数点になることはないからです。
 このように「独立」ということを、数学的な計算のとおりに捉えていたのでは、現実の観測値が独立である可能性

店舗ごとに差はあるか

実際の値

店舗	A	B	C	計
満足	50	47	56	153
不満	5	14	8	27
計	55	61	64	180

完全な独立を仮定した理論上の値

店舗	A	B	C	計
満足	46.75	51.85	54.4	153
不満	8.25	9.15	9.6	27
計	55	61	64	180

はほとんどなくなってしまいます。そこで、ある程度の誤差を見込んで独立かどうかを判定します。

このあとは、適合性の検定（6 - 6）のときと同様の式にあてはめて、理論値と観測値の差をカイ2乗検定します。このケースにおける自由度は、満足または不満について 2 - 1 = 1、店舗数について 3 - 1 = 2 です。このような場合は両者の積をとって、2 と考えます。

仮に有意水準を $a = 0.05$ とすると（この基準は仮のもの）、計算結果は約4.84となり、自由度2のカイ2乗分布表を上側確率0.05で見ると約5.99なので、仮説は棄却できません。よって、店舗の違いは従業員の満足度に影響していないと判断します。

―――《チェックポイント》―――
第6章のココだけは理解しよう！

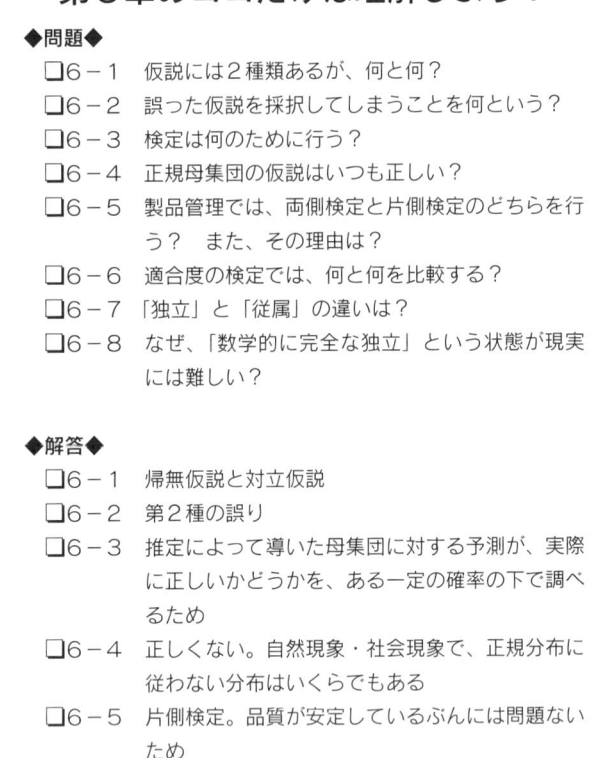

◆問題◆

- □6-1　仮説には2種類あるが、何と何？
- □6-2　誤った仮説を採択してしまうことを何という？
- □6-3　検定は何のために行う？
- □6-4　正規母集団の仮説はいつも正しい？
- □6-5　製品管理では、両側検定と片側検定のどちらを行う？　また、その理由は？
- □6-6　適合度の検定では、何と何を比較する？
- □6-7　「独立」と「従属」の違いは？
- □6-8　なぜ、「数学的に完全な独立」という状態が現実には難しい？

◆解答◆

- □6-1　帰無仮説と対立仮説
- □6-2　第2種の誤り
- □6-3　推定によって導いた母集団に対する予測が、実際に正しいかどうかを、ある一定の確率の下で調べるため
- □6-4　正しくない。自然現象・社会現象で、正規分布に従わない分布はいくらでもある
- □6-5　片側検定。品質が安定しているぶんには問題ないため
- □6-6　理論値と観測値
- □6-7　2つの事象の間に因果関係があるかないか
- □6-8　実際にはまったく独立で因果関係がなくても、数学的完全な独立を考えると、たとえば物の個数が小数になったりする（現実には、物の個数が小数点になることはない）。また、偶然的な要素も

実際の観測では入る。そのため、仮に数学的にまったく独立でなくても、ある程度数値のズレが少なければ、独立とみなしてよい。その際の線引きを行うのが、検定の意味である

第3部
発展的内容への導入

■**第3部で学ぶこと**■

　第3部「発展的内容への導入」では、第2部までで得た知識を前提に、より高度な理論への導入と、実践面で役立つヒントを紹介します。

　第7章「多次元のデータを分析する（多変量解析）」では、3つ以上のデータ間の関係を扱う多変量解析の方法を説明します。
　多変量解析の方法とは、具体的にいうと、2つ以上の原因となるデータから、1つの目的となるデータの結果を説明する手法です。実際のビジネスにおいては、原因と結果が1対1の関係にあるということは、ほぼありません。たとえば売上1つとっても、製品の質、従業員の対応、店舗の設計、店舗の位置など、さまざまな要因が複雑に絡み合って、「売上」という1つの結果を生み出していると考えられます。

　第8章「実践へのガイダンス」では、実践に役立つヒントや具体的なケースをいくつか紹介します。
　理論を学ぶのはもちろん重要ですが、実践でそれを使う際には、ほかにもさまざまなノウハウが求められます。引っかかりやすい「統計のうそ」や、選挙結果の予想、視聴率調査、製品の規格管理などの例をもとに、現実に即応した柔軟な思考力を身につけていただくことを目的にしています。

第 7 章
多次元のデータを分析する（多変量解析）

[ケース7]
プールが主となる駐車場つきスポーツ施設に関するデータ

図21 ケース7の原データ

番号	施設面積(㎡)	駐車場面積(㎡)	プール敷地面積(㎡)	マシン総数	スタジオの有無	所要時間(分)	年収(億円)
1	9340	1530	5430	25	有	8	2.12
2	13280	3100	8010	26	有	12	2.65
3	7930	1850	4980	15	無	6	1.52
4	8570	1230	5230	22	無	9	2.16
5	10030	2400	6210	40	有	15	1.76
6	11400	1460	7120	24	有	11	2.41
7	9870	1380	5600	14	無	7	1.41
8	8130	1900	5340	14	無	10	1.37
9	8890	2150	5890	23	無	9	2.32
10	12900	1670	7290	39	有	8	2.29
11	7840	980	4110	14	有	8	1.37
12	10700	2510	5439	20	有	13	1.35
13	9990	1620	5390	14	有	11	1.42
14	8750	1240	4510	17	無	10	1.75
15	9120	1420	5800	16	有	12	1.65

多次元のデータを分析する（多変量解析）

7-1 多変量解析とは何か

　第1部「統計学への第1歩」と第2部「統計学の基本知識」までで、近代統計学といわれる分野の最も基本的な知識を概観したことになります。

　記述統計学・推測統計学の手法は19世紀後半から20世紀にかけて確立したものです。それ以来、決して万能でないとはいえ、過去・現在のデータの分析や将来の予測・意思決定に大きく貢献してきました。しかし現在では、このほかにもさまざまな統計学の手法が発達しています。そこで第7章では、その中でも**多変量解析**といわれる統計学分野の、基本的な手法のいくつかを大まかな概要に限って紹介します。

　多変量解析とは、3種類以上の多次元データを分析するための手法であり、第3章で説明した記述統計学を応用したものといえます（第4章からは推測統計学の手法について説明してきたので、第3章を読み返してから本章を読み進めることをおすすめします）。

　現実のケースでは、たった1つの原因によって結果が説明されるということは、あまりありません。そこで、さまざまな要素を考慮に入れ、より正確で現実に即した分析を行うために、このような手法が必須のものとなります。

　多変量解析には、①重回帰分析、②判別分析、③主成分分析、④因子分析の4つがあります。

　多変量解析の最も基本となるのが、**重回帰分析**です。こ

多次元のデータを分析する（多変量解析）

さまざまな多変量解析のイメージ

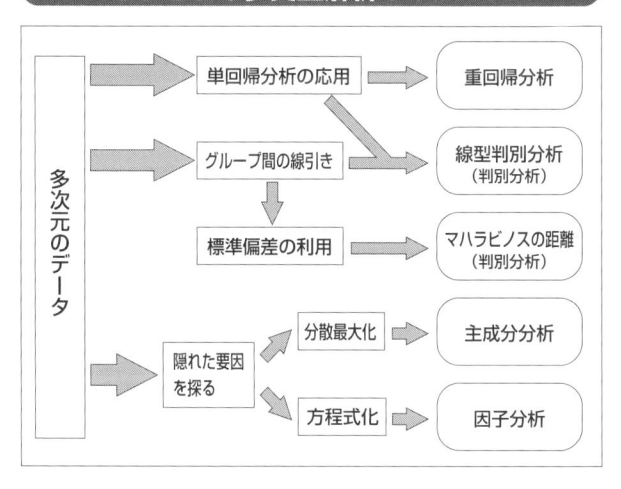

```
多次元のデータ
 ├→ 単回帰分析の応用 ⇒ 重回帰分析
 ├→ グループ間の線引き ⇒ 線型判別分析（判別分析）
 │    ↓
 ├→ 標準偏差の利用 ⇒ マハラビノスの距離（判別分析）
 └→ 隠れた要因を探る
      ├→ 分散最大化 ⇒ 主成分分析
      └→ 方程式化 ⇒ 因子分析
```

れは、3-6～3-8で説明した単回帰分析の説明変数を2つ以上に増やしたものであり、単回帰分析と同様に、関係性を説明する数式（重回帰式）を導きます。

次に**判別分析**は、重回帰分析の仲間で、目的変数が定性的なデータの場合です。

さらに**主成分分析**は、多くの種類のデータからエッセンスとなるべきデータを合成し、より少ない変数で目的変数を説明できるようにする手法です。

そして**因子分析**は、主成分分析と似ているのですが、目的変数の共通の原因である共通因子を仮定して、正確に目的変数を予測しようという試みです。

次項から、それぞれについて説明していきます。

7-2 重回帰分析①
～重回帰分析の考え方～

　まず、重回帰分析について具体的な事例で考えてみましょう。いろいろな要素の中で何が「売上」を決めているかという事例を用います。

　168ページのケース7は、プールを主とした駐車場つきスポーツ施設の、いろいろな要素に関するデータを示す架空の標本です。話を簡単にするために、施設にはプールとマシンのみが共通項として存在するとします。また所要時間は、最寄駅から徒歩でかかる時間を想定します。

　この中で、目的変数を売上（年収）とし、どの要素がどれくらい売上に作用しているのかを考えます。それによって、それに類した条件の施設を建設する場合の判断基準として使うことができます。

　ところで第3章のを振り返ってみると、単回帰分析について考える前に、相関分析を行いました。また相関分析とは、因果関係を考えず、傾向が似ているか否かのみを見る指標でした。そして、データが多次元の場合も、はじめに相関分析を行います。すると、次ページの図のように、マトリックスで表すことができます。

　スタジオの有無はダミー変数（1－2参照）を使用し、ある場合は1、ない場合は0として、それぞれ相関係数を計算します（計算方法は3－2を参照）。すると結果は、表の左側から順番に、約0.58、0.28、0.73、0.59、0.15、0.05となります。このことから、売上にある程度強い相関

多次元のデータを分析する（多変量解析）

複数データがある場合に、2つのデータ間の相関係数を一覧する方法

	施設	駐車場	プール	マシン	スタジオ	徒歩	年間収入
施　設	1						
駐車場	0.521904	1					
プール	0.89244	0.58174	1				
マシン	0.610502	0.3996955	0.641698	1			
スタジオ	0.550305	0.204367	0.404161	0.403976	1		
徒　歩	0.337049	0.522326	0.331054	0.357518	0.497717	1	
年間収入	0.583898	0.284983	0.730767	0.590428	0.154592	0.0503394	1

がありそうなのは、施設面積、プール敷地面積、マシン数であるとわかります。

決定係数も単回帰分析のときと同様、1個1個出すことができます。その際に使用する考え方も、単回帰分析のときと同じく最小2乗法によります。ケース7では、説明変数を図21の左から x_1、x_2、…x_6 とし、それらの決定係数を係数としてそのままあてはめると、以下のような式が導き出されます。

目的変数（売上）$\fallingdotseq -7085.01\, x_1 + 11701.42\, x_2 + 41050.83\, x_3$
$+ 1540947.34\, x_4 - 8467591.40\, x_5 - 2856966.83\, x_6$

しかし、この式をそのまま使うことは適切ではありません。次項ではその理由について説明します。

7-3 重回帰分析②
～重回帰分析の難しさ～

　重回帰分析には、単回帰分析にはない難しさがあります。つまり、簡単に関係づけを考えられないということです。

　それを理解するために、まずは次の事実に注目してください。前項の式で、施設の面積を示す係数は負の数であり、一方、プールの敷地面積を示す係数は正となっています。

　ところで、この両者の相関係数を計算すると約0.89と高い値を示します。これは、プールが主となるスポーツ施設を標本に調査しているため、プールが広いということは、必然的に施設全体もある程度以上広いことを意味する、と考えれば納得できるでしょう。

　しかし、この重回帰式では両者の係数が正負逆になってしまっています。結果として、施設が広くなるにつれて売上が減少することになっており、明らかにおかしいといえるでしょう。

　これは**多重共線性の問題**と呼ばれるもので、説明変数間に相関の高い変数同士が混じっているときに発生します。

　ピックアップしたデータすべてから機械的に重回帰式をつくると、相関の低い無意味な要素までもが目的変数に影響してしまいます。そこで、それらを取り除き、最適な式を導き出す必要があるのです。では、その際、重回帰式の現実へのあてはまりのよさをどう考えればよいのでしょうか。

多次元のデータを分析する（多変量解析）

重回帰分析はなぜ難しいか

○多重共線性の問題
○関係性の低い変数

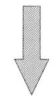

⬇

これらを取り除き、いかに
・ダブリがなく ｝
・説明力の高い ｝ 式を導出するか

　単回帰分析の際には、基準として相関係数や決定係数を利用しました。それらを応用した重相関係数、重決定係数という基準は、確かに存在します。しかし、これらは実はそのあてはまりのよさに関係なく、説明変数が増えれば増えるほど大きくなる傾向があります。説明変数がデータ数（ケース7では15個）−1個（ケース7の場合は14個）になると、どんな式でも値が1になってしまうという、重大な欠点をはらんだ基準なのです。そのため、これに代わる基準が必要となりますが、決定的なものは提示されていません。

　いずれにせよ、重回帰分析を容易に行うと、判断を誤ります。

7-4 判別分析の考え方

 判別分析とは、たとえば「合格／不合格」や「よい／悪い」などの結果に対し、何がその差を生み出したのかという、いわば「線引き」を行いたいときの手法です。つまり、重回帰分析において、目的変数が定性的な変数である際の手法のことです。

 判別分析の基準としては、①線形判別分析と、②マハラビノスの距離の2つが有名です。

①線形判別分析

 回帰分析において目的変数をダミー変数によって表すもので、本質的に回帰分析と同様のものと考えられます。これを2変数の場合で行うと、図のようなイメージになります。すなわち、データを大まかにグループ分けして、その両者を区切る直線として最適なものを求めようというわけです。

 具体的には、ダミー変数の中間値を基準にグループ分けを行う場合が多いようです。説明変数を2個に増やすと、立体を区切る平面の式を出すことになります。これは重回帰分析でも同様です。単回帰分析では平面上に回帰直線を引きましたが、それと同様に説明変数が2個の重回帰分析では、3次元空間に回帰平面を描くことになります。

 説明変数が3つ以上の場合も、図示はできないものの、数式を出すことはできます。

②マハラビノスの距離

多次元のデータを分析する（多変量解析）

判別分析の2つの方法

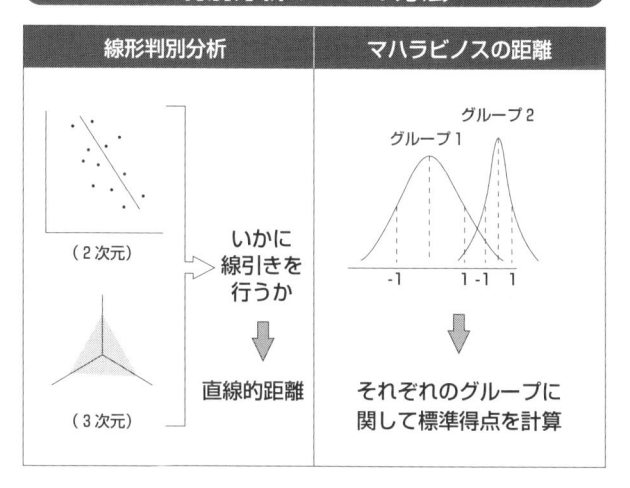

線形判別分析

(2次元)

(3次元)

いかに線引きを行うか
⇒ 直線的距離

マハラビノスの距離

グループ1　グループ2

-1　　1 -1　1

⇒ それぞれのグループに関して標準得点を計算

　目的変数を表すそれぞれのグループの分布が正規分布に従うと仮定し、その広がりを考慮に入れて予測を行うための基準です。

　具体的には、まず目的変数別にデータを分け、それぞれの標準偏差を計算します。次に、評価したいデータをそれぞれのグループにあてはめ、それぞれの平均値と標準偏差を基準にして、2-8で説明した標準化を行います。その数値を比べて値が小さいほうのグループに属するものと判断します。つまり、正規分布の中心に、標準偏差という面から見て、どのくらい近いかで判断するわけです。

　マハラビノスの距離の特徴は、グループごとにばらつきが違う場合に、単純な距離だけでは測ることができない部分を考慮に入れることができる点にあります。

177

7-5 主成分分析の考え方

前項で、単純な重回帰分析ではなかなか適切な回帰式を導くことが難しいことが判明しました。そこで、その問題を解消する方法として、目的変数をうまく説明できるように既存の変量を合成して有効な変量(主成分という)をつくり、それらの組み合わせによって、よりわかりやすく目的変数を説明する必要があります。

その方法が**主成分分析**です。

主成分分析の考え方において「説明がわかりやすい」とは、分散を最大にするように既存の変量を合成するということです。つまり、各データ間の散らばりが大きいほど、その差がはっきりわかります。その度合いを**寄与率**といい、次の式で表すことができます。

$$\frac{主成分の分布}{各変量の分布の和}$$

ここで重要なのは、主成分は1つに限定されるのではなく、いくつでも計算することができるということです。つまり、最もよくばらつきを説明できるように最初の主成分(第1主成分という)を計算したとしても、そこで結果に組み入れられなかった要素が残ります。そこで、最初の計算で計算し切れなかった部分について第2、第3の主成分を計算し、変量に加えます。

では、ケース7の主成分を計算することで、主成分分析

多次元のデータを分析する（多変量解析）

主成分分析

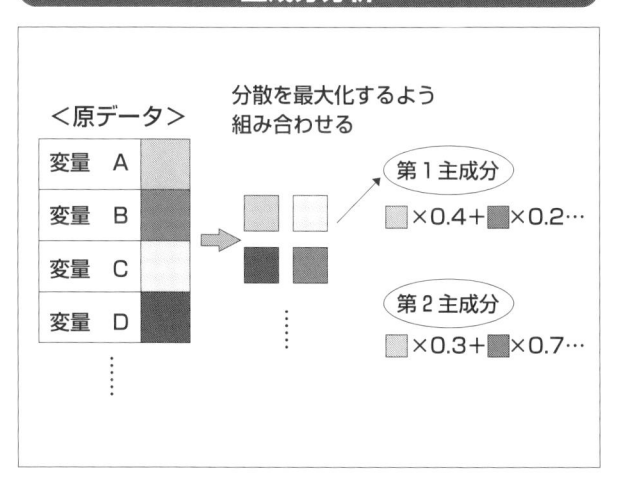

```
<原データ>            分散を最大化するよう
                      組み合わせる
変量 A
変量 B          →    □ □           第1主成分
変量 C                                □×0.4+■×0.2…
変量 D
                      ⋮            第2主成分
                                      □×0.3+■×0.7…
```

の考え方を理解しましょう。まずは、第1主成分を計算します。

$$第1主成分\ u_1 \fallingdotseq 0.8481\ x_1 + 0.1696\ x_2 + 0.5019\ x_3 \\ + 0.0027\ x_4 + 0.0001\ x_5 + 0.0004\ x_6$$

係数を見ると、第1主成分は「施設の面積」に関する要素によって説明する変数のようです。また第1主成分の寄与率は90.85%となります。一般的に、寄与率は80%まで計算すれば十分とされているので、このケースではu_1単体でもかなり説得力のある数式となりますが、通常は$au_1 + bu_2 + cu_3$のように表します。

ちなみにケース7の場合、第2主成分は主に駐車場面積の係数が高いものとなります。

7-6 因子分析の考え方

 次に、**因子分析**について考えます。因子分析とは共通因子を仮定して目的変数をうまく説明しようとする試みで、主成分分析と同じく、複数のデータをうまく扱うための方法です。ごく大まかにいうと、次のような手順になります。

 まず、共通因子を、目的変数に関係がありそうだという前提の下にいつくか仮定します。168ページのケース7でいえば、たとえば「敷地の広さに関する因子」「マシンに関する因子」(ここでは仮に$f_{広}$、$f_{マ}$のように表す)などが考えられます。

 次に、各サンプルがそれらの因子を、それぞれある一定の割合で持っていると仮定します。(仮に$f_{広 i}$、$f_{マ i}$のように書く。iはそれぞれの施設の番号)。つまり、これらの因子はどのデータに対しても、一定の割合で影響を与えているということです。

 以上の共通因子のデータに加え、次はもともとのデータの各変量について考えます。たとえば、プールの敷地面積という変量を、①共通因子で説明できる部分(仮に$a_{プ広}$、$a_{プマ}$と書く)、②共通因子で説明できない部分(仮に$e_{プ}$と書く)に分解します。以上を組み合わせると、「iという店の、プールの敷地面積に関する変量」が、次のように表されることになります。

$$変量 = f_{広 i}\, a_{プ広} + f_{マ i}\, a_{プマ} + e_{プ}$$

多次元のデータを分析する（多変量解析）

因子分析

<原データ>
変量	A
変量	B
変量	C
変量	D

因子を仮定して細分化し、方程式を立てて解く

変量＝因子aで説明×A
　　＋因子bで説明×B＋誤差

（変量の種類×サンプル個数）

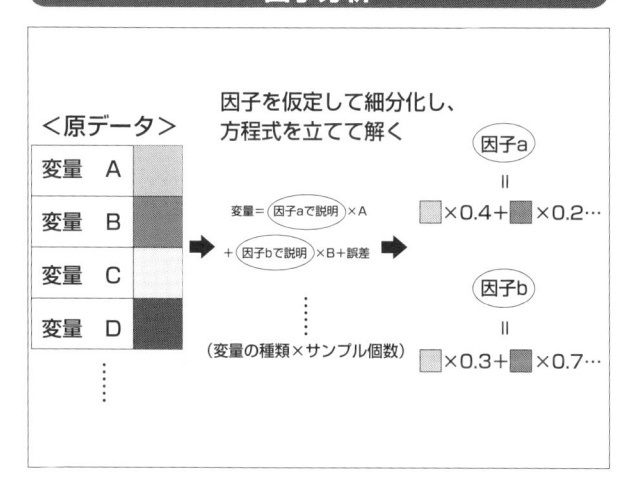

因子a
＝
■×0.4＋■×0.2…

因子b
＝
■×0.3＋■×0.7…

　この方程式が、以上のプロセスを集約したものになります。

　これらの方程式1つひとつが、あるサンプルの中のさらに1つの変量を、共通因子で説明できる部分・その度合い、そして共通因子で説明できない部分に分解した結果になります。つまり、データ全体で見ると、このような方程式が変量の種類・サンプルの数だけあるということです。

　さらに、この式をさまざまな方法によって単純化し、最終的にfにあたる部分を求めることを目指します。

　fにあたる部分が大きければ、最初の仮定が正しかったということになります。一方、fにあたる部分が小さければ、最初の仮定は実態とズレていたということになります。

7-7 主成分因子と因子分析の違い

　7-5、7-6で主成分分析と因子分析について説明しました。これらの手法は、いずれも「データを、より少ない変数で説明する」という共通点を持ちます。

　では、この2つは何が違うのでしょうか？　それは、①アプローチの違い、②誤差の扱い方の違い、③意味づけの仕方の違い、④用途の違いの4点です。

　次ページの図を見てください。主成分分析は、各変量を1本の軸に総合して、データをもっともうまく説明できるようにする方法でした。つまり、アプローチとしては「総合」だといえます。その結果、この分析結果の中には、誤差も含まれています。さらにそのあとで、その結果出てきた第1主成分、あるいは第2以降の主成分に対し、「施設の面積に関係する」などと意味づけします。つまり、結果を出したあとで、それに対して分析を行うのです。

　用途に関しては、「データを総合する→主成分をつくる」という過程を経るため、今見えているデータから何らかの結論を引き出すことに長けています。たとえばマーケティングなら、顧客の要求を総合し、それに答えるための対策や「予算配分などを引き出すことなどに使えます。

　一方、因子分析は、初めからいくつかの共通因子を仮定します。つまり、先に共通因子の意味づけをしてしまうのです。7-6で取り上げた例でいえば、「敷地の広さに関する因子」「マシンの数に関する因子」などになります。

多次元のデータを分析する（多変量解析）

主成分分析と因子分析

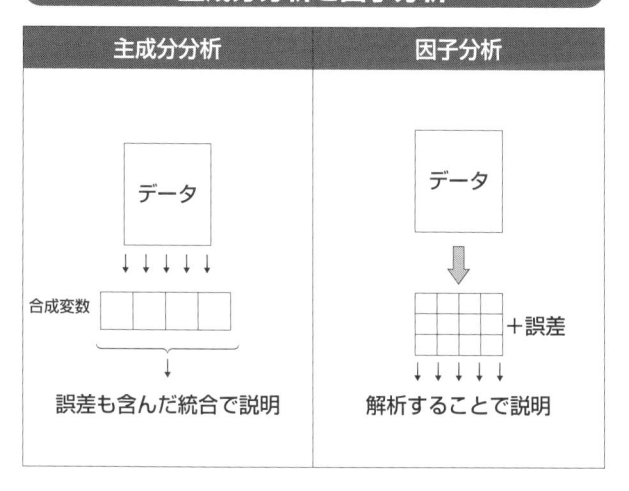

主成分分析	因子分析
データ → 合成変数	データ → ＋誤差
誤差も含んだ統合で説明	解析することで説明

　次に、その共通因子を枠として、データを分解していきます。つまり、アプローチとしては「分解」となるわけです。また、このとき誤差はその中に含まれません。誤差が初めから存在することを前提に、説明できる部分だけ説明しようとするのです。

　用途でいえば、「仮定→計算→結果を検証」という過程を経るため、今見えないデータを仮定し、それを見えるデータから説明しようとするわけです。マーケティングなら、潜在的な顧客の要求を仮定し、それを検証していくといったことに使えるでしょう。

　これらの手法は結果が似たものになることもあるため、しばしば混同されます。しかし、アプローチの違いと、目的の違いによって使い分ける必要があります。

― 《チェックポイント》―

第7章のココだけは理解しよう！

◆問題◆
- □ 7-1　なぜ多変量解析が必要？
- □ 7-2　重回帰分析と単回帰分析で、共通しているステップは？
- □ 7-3　多重共線性の問題が起こりやすいのは？
- □ 7-4　判別分析には2種類あるが、何と何？
- □ 7-5　主成分分析で、データの要素を組み合わせる祭の基準は？
- □ 7-6　因子分析で、共通因子を考える際の基準は？
- □ 7-7　主成分分析と因子分析、誤差を考えないのは？

◆解答◆
- □ 7-1　現実の分析では、「1つの変数に影響を与えている変数が1つだけ」という1対1の関係は考えにくく、さまざまな要因が絡み合って1つの現象に影響していると考えるほうが説得力があるため
- □ 7-2　相関係数の計算と、それに基づく回帰式の作成
- □ 7-3　説明変数間に、互いに相関性の高い変数同士が混じっているとき
- □ 7-4　線形判別分析とマハラビノスの距離（を用いた判別分析）
- □ 7-5　分散の最大化。これによって、各データ間の違いを見えやすくできるため
- □ 7-6　目的変数を、うまく説明できそうだという仮定。因子分析は仮説を立てるところから始まっているため、結果を出して妥当性がないと思ったら、1からやり直す必要がある
- □ 7-7　主成分分析

第 8 章
実践へのガイダンス

8-1 統計数値の「意味」（数学の領域とビジネス現場の違い）

　第7章までで述べてきた近代統計学の体系は、数学的に現実を捉えようとする試みであり、その対象が一定の確率分布に従う場合、大きな効果を発揮します。

　その代表的なものの1つが、製品の品質のばらつきであり、それゆえ近代統計学は品質管理の分野でとくに利用されてきました。とくにt分布の発見によって、少数の標本からでも全体の推定を行うことができるようになりました。

　一般の品質管理においては、ある点、推定量から単純にある範囲内にあると考えればよいのですが、場合によってはさまざまな工夫が必要な場合があります。特定のミスが人命にかかわる場合や、会社や社会に致命的なダメージを与える場合などは、それに対してとくに厳密さが要求されるからです。

　その基準を判断するのが**リスク評価**であり、これはMBAの重要ポイントの1つです。

　リスク評価は、推測統計の観点から見ると、「危険率をどう評価するか」という意味を持ちます。たとえば、ある機械の温度が下がりすぎると機械が停止して生産がしばらく停止するが、温度が上昇しすぎても爆発してしまう、といったようなケースには、温度の信頼区間の上側確率を非常に厳しく設定して、安全性を検定する必要があります。

　ほかにも、平均より分散を重視することが重要な場合があります。たとえば以下のような、後正武氏が著書『意思

実践へのガイダンス

ばらつきが小さいほうがよい場合

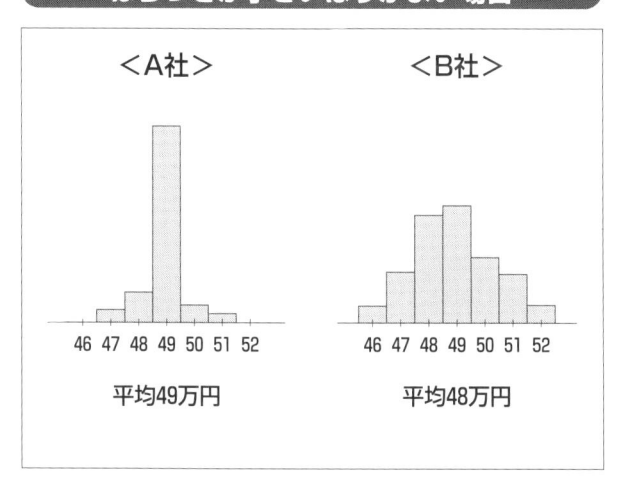

<A社> 平均49万円
46 47 48 49 50 51 52

<B社> 平均48万円
46 47 48 49 50 51 52

決定のための「分析の技術」』(ダイヤモンド社) の中で展開している議論がそうです。

表のA社とB社を比較した場合、売値の平均はB社のほうが少しばかり安いですが、A社は売値のばらつきが小さく、しかも最低ラインがはっきりしています。これはA社にディシプリン(規律、信念)があることを意味し、買い手は売値に対して予測ができるので、長期的に見れば信用につながります。

逆にB社は売値のばらつきが大きく、場当たり的な印象を与えかねません。つまり、単純に売値の平均が安くても、ばらつきが大きければ予測とは異なる場合もあるため、信用は下がるということです。

8-2 イメージに注意（統計のうそ）

　ここでは、数値の見せ方で人をだます**統計のうそ**について、①グラフの軸の幅を変える、②魔法のランタン、③小数点や分数を使う、④移動平均法の悪用という4つの例で考えます。

　これらはどれもごく単純ですが、いずれもイメージに働きかける要素が強いため、注意しなければ見逃してしまう可能性があります。「ここを強調したら、きっと注目してくれるだろう」というような気持ちからなされることが多いため、やっかいです。

①グラフの軸の幅を変える

　グラフの軸の幅を変えることにより、変化の幅が変動したかのように錯覚させる方法です。その上を通る直線の傾きなどが、オーバーなものになります。

②魔法のランタン

　何らかのデータを相互比較する際に、絵のサイズで表示する方法です。ところが、形をそろえるためには、高さ・幅のどちらかを2倍にした場合、もう片方も2倍にする必要があります。そうすると面積は4倍になり、実際よりもデータ間の差が過大であるイメージを与えます。

③小数点や分数を使う

　小数点や分数を使うことにより、正確さや信頼性を感じさせようとするものです。第5章・第6章でも述べたように、統計においては点推定値からのズレが生じます。それ

実践へのガイダンス

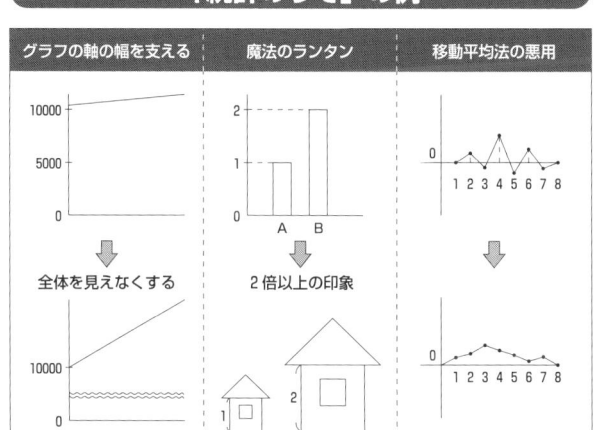

「統計のうそ」の例

グラフの軸の幅を支える	魔法のランタン	移動平均法の悪用
全体を見えなくする	2倍以上の印象	（3周期）
増加！		

にもかかわらず、「この実験が成功する確率は、理論的には56.721%」「換算すると、34.76人に1人がこの症状を誘発する傾向にある」などと書いただけで、ズレが大きいかもしれないのに、精確な調査のような気がしてきます。

④移動平均法の悪用

移動平均法については第3章で述べましたが、それを悪用する方法です。第3章では、大きな傾向を見るために小さな傾向を排除する方法について説明しました。しかしこれを悪用して、事実とは反する結果に見せかけることができます。たとえば、あるプロジェクトの利益が毎年赤字と黒字を行ったりきたりしているとします。そのようなケースにおいて、うまく移動平均をとれば、毎年黒字であるかのように見せかけることができる場合があるのです。

8-3 外れ値のワナ（相関分析・回帰分析の際の注意）

　第2章で、外れ値が存在する場合には分布の表示や代表値の計算にいろいろな問題が生じることを述べました。ここで改めて、それ以降に学んだ統計分析の手法を踏まえたうえで、外れ値のやっかいさについて説明しましょう。

　相関分析・回帰分析は、外れ値の存在によって大きな影響を受けます。

　たとえば、ケース1の34人の月労働時間と時給の関係に対し、再び時給1万5000円の会社経営者を入れたうえで相関係数を計算すると、それだけで約-0.21から約0.38へと変化します。

　さらに、たとえば数値入力の際に、この会社経営者について「月400時間労働、時給15万円」と誤って入力したとしましょう。このくらいの数値なら、物理的にまったくあり得ないというわけでもないため、つい見逃してしまいそうです。しかし、これをやってしまうと、なんと相関係数は約0.97になります。

　なぜこういうことが起こるのでしょうか。

　イメージとしては、1つだけ飛びぬけた外れ値があると、ほかのグループがその外れ値から見れば、すべて同じようなひとまとまりになってしまい、そのまとまりと外れ値との間にきれいな直線が引けてしまうことになるからです。よって、相関分析と縁の深い回帰分析の際にも、同様の問題が発生します。外れ値以外の、本来の母集団とはまった

相関分析における外れ値

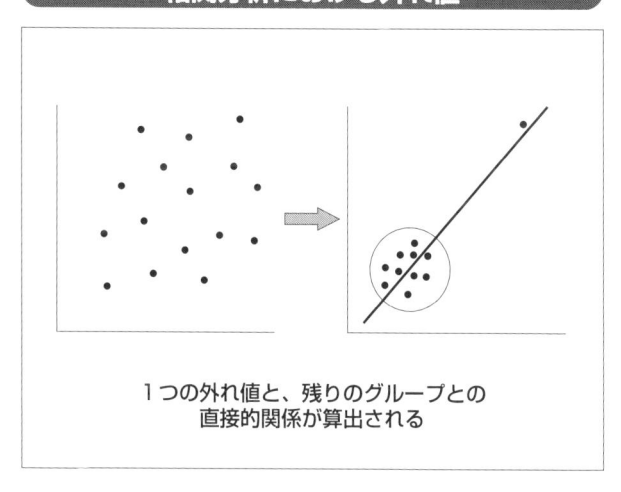

1つの外れ値と、残りのグループとの
直接的関係が算出される

く関係のない回帰直線が引かれてしまう可能性があるわけです。

このような外れ値への対処方法は2つあります。

1つめは、そもそも統計をとるときに、上下の数%を機械的に外してしまう方法です。2つめは、**グラブフ・スミノルフの棄却検定**という方法です。これは簡単にいうと、各値に対してカイ2乗検定をほどこし、ある一定の有意水準を超えた値は無効として棄却するものです。

ケース1のように単純な標本の場合は、外れ値にも気づきやすいものです。しかし、データ総数が多く内容が複雑なケースでは、つい外れ値を見逃してしまいがちなので注意が必要です。

8-4 外れた選挙結果予想①
~サンプルの偏り~

第4章で非標本誤差について説明しましたが、ここでは、それに関して歴史上有名なケースを紹介します。いずれもアメリカの大統領選挙におけるケースです。

1936年、アメリカの大統領選挙で民主党のルーズベルトと共和党のランドンが対決し、得票率はルーズベルト約62.5%、ランドン約37.5%と、ルーズベルトが圧勝しました。

ところで、この選挙の前に、2つの雑誌が世論調査を行い、選挙結果を予想していました。

1つは当時業界大手の『リテラリー・ダイジェスト(LD)』誌で、ルーズベルトが約42.9%、ランドンが約57.1%を得て、ランドンの勝利に終わると予測しました。もう1つは、当時新興のギャラップ社で、ルーズベルトが約56%、ランドンが約44.3%を得て、ルーズベルトが勝利すると予測しました。

ところで、この調査の標本数はLD社が237万人、ギャラップ社が3000人と、比べ物にならないほどの開きがありました。しかし、その集め方が違いました。

LD社は見栄えをよくしようという意図もあって、とにかく標本数を増やそうとしました。そこで、主に電話帳や自動車登録、自誌の愛読者リストを利用して1000万人にも及ぶアンケートを行い、有効回答237万を得ました。しかし、この時代、電話や自動車の所有はまだ富裕層に限られ

1936年の世論調査における抽出法の違い

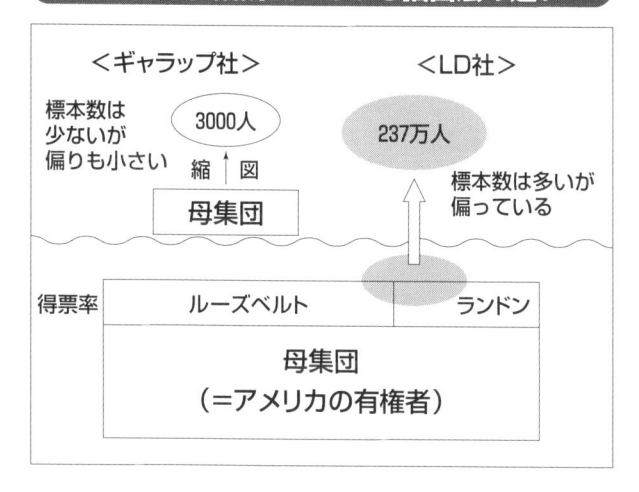

```
<ギャラップ社>              <LD社>
標本数は     ┌3000人┐      ┌237万人┐
少ないが     └──────┘      └───────┘
偏りも小さい   縮↕図        標本数は多いが
           ┌────────┐    偏っている
           │ 母集団 │
           └────────┘
                              ↑
得票率  ┌──────────────────┬──────┐
        │  ルーズベルト    │ランドン│
        ├──────────────────┴──────┤
        │      母集団              │
        │  (=アメリカの有権者)    │
        └──────────────────────────┘
```

ており、そのような層には共和党支持者が多かったのです。つまり、偏ったサンプルを使用して、結果的に大ミスをしてしまったわけです。この大ミスが原因で、LD社は翌年倒産しました。

一方、ギャラップ社のアンケートは、有意抽出法の中の**割当法**と呼ばれる手法を使用したものでした。具体的には、年齢・人種・性別・職業などの要素をたくさんピックアップし、それらの比率が国勢調査の結果とほぼ合致するように、意図的に3000人を選ぶというやり方です。その結果、LD社よりもはるかに少ない標本数にもかかわらず選挙結果を正確にいい当て、それ以降、業界大手へと成長していきました。

8-5 外れた選挙結果予想②
～歪みのない抽出の難しさ～

　その後、同業他社もギャラップ社をまねて割当法による統計調査を行うようになりました。

　これはいわば、いくつかの要素を基準に、限られた数の標本を母集団の縮図にメイクアップしようとするものです。この方法では、それぞれの要素と結果の間に因果関係があることが仮定されています。確かにその基準が適切であれば、無作為抽出より信頼性が高いこともあります。

　しかしその後、1948年のアメリカ大統領選挙では、予測を行った主要各社がすべて予想を外す事態になりました。このときも、共和党の候補（デューイ）が勝利するという予測に反し、民主党のトルーマンが勝利しました。

　これは、割当の基準項目の中に「収入」が入っていなかったことが原因だったと、現在ではいわれています。トルーマンは低収入層の人々にとくに人気があったのですが、そのことは調査の際、反映されませんでした。

　アメリカでは、これらの結果にもかかわらず、現在でも有意抽出法が主な調査手法として使われます。日本のような整備された戸籍がないため、無作為抽出が行いにくいことが、その原因のようです。

　しかし、これは、日本にこの種の問題がないことを意味しません。実際に、現在でも偏ったサンプルに基づく調査がしばしば見受けられます。そこで、たとえば「100人に聞きました」といった文言を見かけても、その100人はど

実践へのガイダンス

有意抽出法のリスク

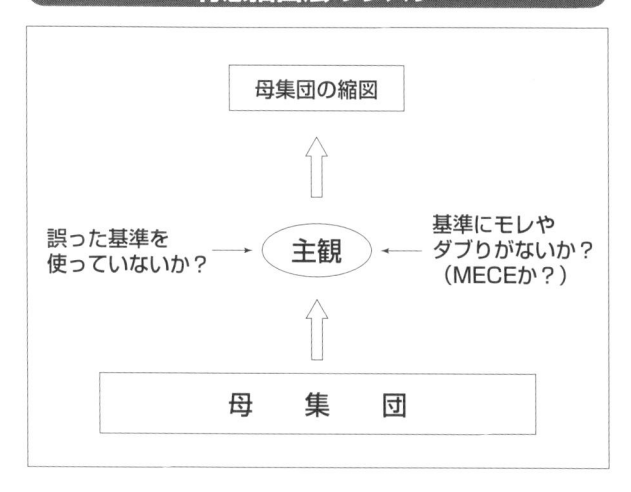

```
            母集団の縮図
                ↑
誤った基準を → 主観 ← 基準にモレや
使っていないか？        ダブリがないか？
                       (MECEか？)
                ↑
            母 集 団
```

のような層からどのようにして選ばれたのかを推測することを、忘れてはなりません。

では、無作為抽出が行われれば、非標本誤差はなくなるのでしょうか？

そうでないことは第4章で述べたとおりです。しかも、一番危険なのは、無作為であるつもりが実際には抽出の際の偏り(「抽出バイアス」という)が存在していたという事態です。

実際に統計調査を行う際、あるいは統計を分析する際には、確率的な誤差の問題以外にも、非常に多くの妨害要素が存在することを認識し、容易にもっともらしい統計数値にだまされないよう気をつけるべきです。

8-6 天候に関する予測（平均値とその標本数の区間推定）

　第5章の推定の説明においては、理論の説明が中心で、実例があまり紹介できませんでした。そこで、本章で具体例を紹介していきます。

　まずは、母平均に関する区間推定の具体例です。ここでは、56ページのケース2を使います。

　標本は休日も含めたものを使用し、最高気温の月平均値に関して区間推定します。分布は正規分布に従うと仮定し、信頼区間を95％に設定します。すると、データ数 $n = 31$、標本平均 $\bar{x} ≒ 30.74$、標本分散 $S^2 ≒ 3.39$ となります。

　$n = 31 > 30$ なので、標準正規分布表を利用して $k = 1.96$、母平均の不偏推定量は $E(X) = \bar{x} ≒ 30.74$、母分散 σ^2 の不偏推定量は、不偏分散 $s^2 = {}^{31}/_{30} \times 3.39 ≒ 3.50$ になります。

　これらを数式にあてはめて計算すると、信頼区間 $≒ 30.07 \sim 31.41$ になります。

　つまり、仮に最高気温が正規分布に従うならば、95％の確率でこの地域の最高気温の月平均はこの範囲内にくるということです。もっとも、実際の天候には不確定要素が多く、そう簡単に正規母集団論から判断はできないでしょうが。

　次に、標本数の区間推定をしてみましょう。今度は28ページのケース1で、再び母集団が正規母集団だと仮定して考えます。

　平成15年度、全労働者の時給の母平均は約1820円でした。

推定の公式の復習（母平均とその標本数）

○母平均の信頼区間
$$=標本平均 \pm \sqrt{\frac{不偏分散}{データ数}}$$

○母平均推定の標本数
$$= k \times \frac{標準偏差}{誤差}$$

また、その分散は不偏推定量から988とします。このとき、99％の確率で母平均1820円との誤差が、たとえば100円以内になるためには、標本数はどれくらい以上必要になるでしょうか。

両側検定で、上側確率と下側確率をそれぞれ0.5％とし、$k=2.58$で近似します。これを5-12の数式にあてはめると、$(2.58 \times \sqrt{988} \div 100)^2 \fallingdotseq 65.77$となります。つまり、66人以上集めれば、99％の確率で平均は1720円〜1920円の間にくると予測できます。

しかし、これも6-4でデータを扱ったときと同様、現実の収入の分布に反映しない予測です。そのため、あくまでこの手法の計算例として参考程度にとどめてください。

8-7 視聴率調査
（比率とその標本数の区間推定）

　次は母比率に関する区間推定の具体例です。前術のように、母比率に関しては視聴率調査と選挙の開票速報が最も典型的なケースになります。ここでは、架空の視聴率調査のデータを分析してみます。

　現在日本では、視聴率調査はビデオリサーチ社（2000年まではニールセン社も行っていたが、現在は撤退）が全国を27の区に分け、それぞれの地区で標本を抽出し、測定器を設置して行っています。関東地区が最大の母集団数約1600万で、標本数は600です。これを前提に、視聴率の信頼区間を考えてみましょう。

　母集団が1600万と非常に大きいので、有限母集団修正は考えないものとします。

　ある番組が、サンプル600台中150台で映っていたとしましょう。このとき標本比率は150÷600＝0.25＝25％です。ここで5−11の数式に、信頼率90％（$k=1.65$）、95％（$k=1.96$）、99％（$k=2.58$）でそれぞれ視聴率の信頼区間を考えると、誤差がそれぞれ約3％、約3.5％、約4.6％となります。

　この数値が意味するのは、仮に視聴率が25％と出たとしても、10％の確率で、実は22％以下もしくは28％以上であること、さらに1％の確率で考えると、20.4％〜29.6％の範囲にも入らない可能性があるということです。視聴率調査の数％の差で1位だ2位だと争うことが、いかに無意味

推定の公式の復習（母比率とその標本数）

○母比率の信頼区間
$$= 標本比率\hat{P} \pm k\sqrt{\frac{\hat{P}(1-\hat{P})}{データ数n}}$$

○母比率推定の標本数
$$= \left(k \times \sqrt{\frac{P(1-P)}{誤差}}\right)^2$$

かがわかるでしょう。

同様に、標本数の推定も行ってみましょう。

視聴率が同じく25%と予測されているとします。このとき、信頼率90%で誤差を1.5%にする標本数を計算してみましょう。

このとき k = 1.65なので、$(1.65 \times \sqrt{0.25 \times 0.75} \div 0.015)^2$
≒2268となります。

これは、誤差3%の場合の約4倍の数値です。「正確さを2倍にするためには、標本数を4倍にする必要がある」という5-12での記述が実感できるでしょう。

8-8 製品の規格はそろっているか（母分散の区間推定）

　分散の区間推定に関する具体例を考えます。これはとくに品質管理の際に重要な指標となるので、本書でも品質管理を例に説明します。

　ある工場Aで作っている架空の工業製品Bの耐久度を測るとします。製品Bは安全上、最低でも2200kgの圧力までは耐えられるように設計されています。まずは4個だけを取り出して実験を行い、＜2519、2578、2604、2540＞という結果が出たとしましょう。

　この結果は、どのくらいばらつきが小さく、安定しているといえるのでしょうか。それを95％の信頼区間で推定してみます。ここで、カイ2乗和の定義式を考えます。

$$\chi^2 = \frac{(実現値x_i - 期待値\bar{x})^2}{母分散\sigma^2}$$

　これが、95％の確率でaとbの間に収まると仮定します。すると、そのことを表す式は次のようになります。

$$a \leq \frac{(実現値x_i - 期待値\bar{x})^2}{母分散\sigma^2} \leq b$$

　これを変形すると、次のような式になります。

$$\frac{(実現値x_i - 期待値\bar{x})^2}{b} \leq 母分散\sigma^2 \leq \frac{(実現値x_i - 期待値\bar{x})^2}{a}$$

　さて、このケースの場合、自由度3なので、a ≒ 0.216、

実践へのガイダンス

小標本でのリスク判断の方法

標本数がごく少数に限定される場合

⬇

七分布・カイ2乗分布を利用

⬇

信頼率によるリスク判断

b≒9.348です。4つの標本の平均値 $\bar{x}$ =2560.25で、カイ2乗和の分子の部分を計算すると、χ^2 ≒4340.75になります。これにより母分散を区間推定すると、およそ464.35～20096.06となり、標準偏差に直すと、およそ平均値から21.55～141.76の範囲にきます。ということは、3シグマのズレで、2200kgを割り込んでしまう可能性があります。

そこで再検査を行い、新たに＜2547、2608、2624、2589、2678、2561＞という標本を6つ追加したとします。

これで同様に計算すると、$\bar{x}$ =2584.8、χ^2 ≒34661.96、自由度9より、a≒2.700、b≒19.023です。標準偏差に直した区間推定はおよそ平均値から42.69～113.30です。これだと先程より少し精度が上がり、3シグマの基準も満たせそうです。

8-9 休日の売上増
(ダミー変数を含む回帰分析)

　ここでは、ダミー変数を使った回帰分析の方法について見ていきます。実際の消費者調査でも、「良い」「悪い」などのアンケート結果を、分析に応用する場合がこれにあたります。56ページのケース2を見ると、最高気温以外に「曜日」と「天気」という定性的な変量があります。これを回帰分析に生かしてみましょう。

　まず、ダミー変数として、曜日に関しては平日0、土日1と定めます。このように分ける根拠は、表を見たところ、土日の売上が高い傾向が見てとれるからです。もちろん、他の可能性を試す価値はありますが、このケースでは明らかにこれが適当と思われます。

　次に天気は、晴れと雨しかないので雨を0、晴れを1と定めます。相関係数を見ると、次ページの図のようになります。

　まず最高気温との関係から見てみると、曜日と最高気温の相関は約0.06と、ほとんどないといってよく、天気と最高気温の相関も0.45と、相関ありと認定するには少し低すぎる数値です。

　次に売上との関係を見てみると、曜日と売上との間には約0.78と、かなり高い相関関係があります。また、天気と売上との間にも、約0.60と比較的高い相関関係があります。しかし、いずれも最高気温と売上の間の約0.85（3-4参照）に比べると低い関係です。そのため、単回帰分析を考

ケース2における各変数間の相関係数

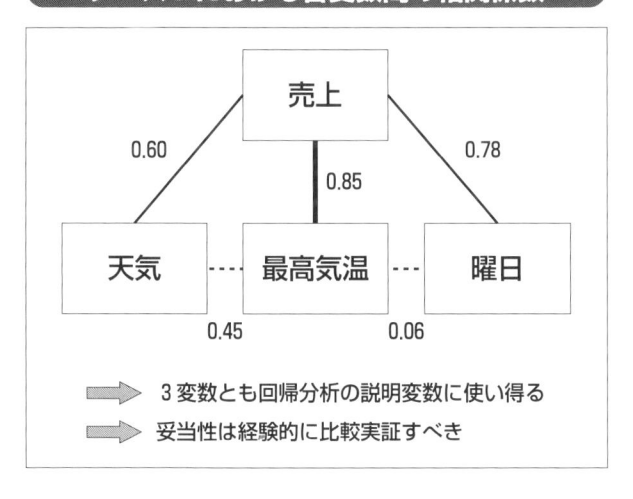

```
                    売上
          0.60      |      0.78
                   0.85
         天気 ---- 最高気温 ---- 曜日
                0.45        0.06
```

⇒ 3変数とも回帰分析の説明変数に使い得る

⇒ 妥当性は経験的に比較実証すべき

えるなら、やはり最高気温をもとに行ったほうがよいという結論に至ります。

さて、ここから重回帰分析を考えることはできないでしょうか。

まず曜日に関しては、最高気温との相関がほぼゼロなので、多重共線性の問題を考える必要はありません。相関関係も高いので、変量として中に含めることが可能でしょう。天気に関しては、相関関係は曜日に比較して低く、また最高気温との間の相関はそれよりは高いので、式の中に含めるかどうかは微妙なところです。よって、天気に関しては変量に含めた重回帰式と含めない重回帰式、両方の可能性を試し、経験的に正しいと考えられるほうを採択していくべきでしょう。

―― 《チェックポイント》――
第8章のココだけは理解しよう！

◆問題◆

- □8−1 品質管理、リスク評価など、ビジネスの現場でとくに重要な指標は？
- □8−2 イメージに働きかける「統計のうそ」では、何を使って人をだまそうとしている？
- □8−3 相関分析で、なぜ「外れ値」が重大な障害となるのか？
- □8−4 標本数が多ければ、それで安心？
- □8−5 有意抽出法は、なぜ誤ることが多い？
- □8−6 天候の予測に、正規母集団論は使えるか？
- □8−7 視聴率調査で、1％や2％の差を争うのは、なぜ無意味？
- □8−8 品質管理ですべての製品を調べない理由は？
- □8−9 重相関分析で、各変数を式の中に含めるかどうかを、どうやって判断する？

◆解答◆

- □8−1 分散
- □8−2 数値の「見せ方」。つまり、数値そのものの改変を行うわけではない。そのため、やるほうも「このほうがわかりやすいだろう」というように、善意からやっていると思い込んでいる場合さえある
- □8−3 本来の集団と、少数の外れ値との間に、直線的関係があるかのような形になってしまうため
- □8−4 安心ではない。母集団がそもそも偏っていたり、非標本誤差があったりすれば、結果はまったく信頼性のないものになる
- □8−5 調査者の主観が入りやすいため

- ❏8-6 一概にはいえないが、単純には使えない場合が多いと考えられる。天候は、異常気象を見ればわかるように、何かの要素によって結果が著しく変わったりするからである
- ❏8-7 それくらいの誤差は、理論的に標本誤差として生じ得るものであるため
- ❏8-8 コストや時間がかかりすぎたり、調べることで製品が壊れたりする場合もあるため
- ❏8-9 まずは、相関分析で相関性の高い変数を選ぶ。しかし、それだけでは判断しがたいこともあるので、さまざまな式をつくり、実際に適用して妥当性を探っていくしかない

付 録
補遺

付録では、本文では扱えなかった統計上の概念や手法の中からいくつか紹介します。

1 スタージェスの公式・歪度と尖度（第2章）

●スタージェスの公式

ヒストグラムを書く際に、階級の幅のとり方が重要な問題となることを、第2章で述べました。ここで紹介するスタージェスの公式は、その1つの目安となるものです。

これは、以下の公式によります。

$$階級数 = 1 + \log_2 n = 1 + (\log_{10} n)(\log_{10} 2)$$

ここでlogとは、対数のことを意味します。$\log_2 n$とは、2を何乗する（何回かける）とnになるかを表す値で、たとえばn=4なら、2の2乗が4なので$\log_2 4 = 2$、n=8なら2の3乗が8なので$\log_2 8 = 3$となります。

実際に計算する際は、さらに一番右の式のように変換すると、計算上都合がよくなります。

もっとも、このスタージェスの公式も常にベストの値を出してくれるわけではないので、参考程度に考えておく必要があります。

●歪度と尖度

歪度と尖度はいずれも、ヒストグラムの形について見るための指標であり、以下の数式によって求められます。

$$歪度 = \{(x_1 - \bar{x})^2 + (x_2 - \bar{x})^2 + \cdots (x_n - \bar{x})^2\} \div n \times \sigma^3$$

$$尖度 = \{(x_1 - \bar{x})^2 + (x_2 - \bar{x})^2 + \cdots (x_n - \bar{x})^2\} \div n \times \sigma^4$$

まず、歪度の式について説明しましょう。

$\{(x_1 - \bar{x})^3 + (x_2 - \bar{x})^3 + \cdots (x_n - \bar{x})^3\} \div n$ の部分は、2-7の分散の式に似ています。つまり、歪度は、分散で2乗している部分を3乗に置き換えた式を使用しているのです。そして標準偏差の3乗で割るのは、数値の大きさを調整するためです。

これによってわかるのは、ヒストグラムの(正確には、確率分布の)非対称性で、0より小さいほど左側に、0より大きくなるほど右側に歪みが大きくなり、ちょうど0だと対象になるということです。正規分布では、この値は0

歪度と尖度

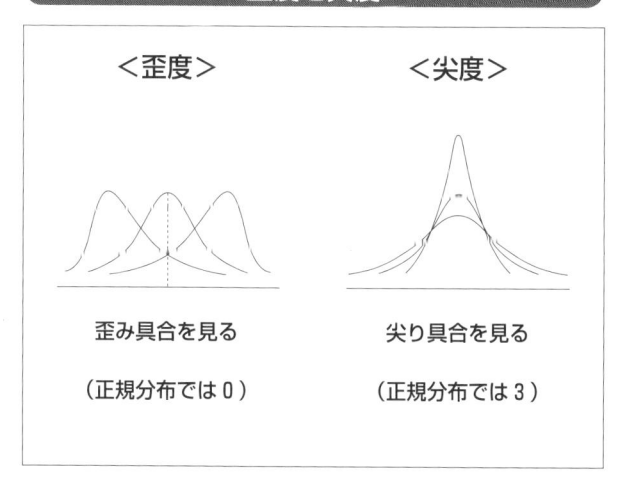

<歪度>

歪み具合を見る

(正規分布では0)

<尖度>

尖り具合を見る

(正規分布では3)

になります。

次に、尖度は、同様に分散の式の2乗部分を4乗に置き換え、数値の大きさを調整したものです。
これによってわかるのは、ヒストグラムの(確率分布の)尖りの程度です。正規分布ではこの値は3になるので、これより大きいか小さいかで尖り具合を判断します。

2 順位相関係数(第3章)

●順位相関係数

第3章で述べた相関分析は、いずれもデータが定量的なものでしたが、ダミー変数以外にも定性的なデータを扱う方法があります。ここではその典型例として、順位に関す

週末の過ごし方に関するある集団の男女別の選好

過ごし方 性別	テレビ	買い物	自宅でゴロゴロ	特定の趣味	映 画	スポーツ	ドライブ	図書館
男	1	2	3	4	5	6	7	8
女	3	1	2	5	4	7	6	8

○完全な相関のときr=±1になる点は、いずれも通常の相関係数と共通

る2つのデータ間の相関を考えます。それが順位相関係数です。

前ページの図は、週末の過ごし方に関する、ある集団の男女別の選好(複数のデータに好みの順番をどうつけるか)を調査し、その順位だけを取り出して考えた架空のデータです。この男女の順位の相関係数を考えてみましょう。

順位相関係数には、有名なものが2つあります。①スピアマンの順位相関係数と、②ケンドールの順位相関係数です。

①スピアマンの順位相関係数

スピアマンの順位相関係数は次の数式に基づきます。

$$r_s = 1 - \frac{6}{n^3 - n} \{(x_1 - y_1)^2 + (x_2 - y_2)^2 + \cdots (x_n - y_n)^2\}$$

x、yはそれぞれ比較する2つのデータを示しますが、この場合は男と女です。この数式は、通常の相関係数の考え方を応用したものであり、計算すると$r ≒ 0.881$となります。

②ケンドールの順位相関係数

ケンドールの順位相関係数は次の数式に基づきます。

$$r_k = \frac{G - H}{n(n-1)/2}$$

まず、観測対象の組み合わせ(a、b)を考えます。

n個の対象から2個選ぶやり方なので、$_nC_2 = n(n-1) \div 2$となります。つまり、aにあてはまるのはn通り

考えられ、bにあてはまるのはaに選んだもの以外のn－1通りが考えられるということです。2で割るのは、順番が入れ替わっただけのものを省くためです。それらすべての組み合わせに対し、aのほうが大きい場合はGに＋1し、bのほうが大きい場合はHに＋1します。そしてその差を合計して、組み合わせの個数で割ります。この方法で計算すると、r≒0.714となります。

これら2つの係数は、通常の積率相関係数同様に、いずれも順位が完全に同じ（完全な正の相関）のとき1に、まったく反対（完全な負の相関）のときは－1になるようにつくられています。

このケースの結果を見ると、いずれの基準をとるにせよ、男女の間には高い相関がありそうです。

3　層別抽出法・ロビンソンの誤謬（第4章）

●層別抽出法

標本の抽出法については4－2、8－4、8－5でも説明しましたが、無作為抽出法と有意抽出法のほかに、層別抽出法という手法もあります。これは、無作為抽出法と有意抽出法の中間に位置するとされる手法です。

この手法が有効なのは、母集団が明らかに異質な層に分かれている場合です。

たとえば、ある製品の志向について明らかに男女に差があることがわかっているとします。このような場合、単純に無作為抽出を行う前に、男女をそれぞれの比率に従って（このケースでは約50％ずつになる）無作為抽出し、それ

ぞれの結果を平均すると、それぞれの集団の分散が平均化される分単純無作為抽出よりも精度が上がります。

このように、母集団をいくつかの集団に分ける作業のことを「層別」といい、分けられた集団のことを「層」といいます。この手法は有意抽出法と似ていますが、標本の対象をそこまで強くは特定せず、無作為な性質を残したものといえるでしょう。

●ロビンソンの誤謬

ロビンソンの誤謬とは、一言でいうと「データの相関をとる際には基準となる集団のカテゴリーを間違えてはならない」ということです。

例を挙げて説明しましょう。

ある会社で、社員の販売成績がだいたい3グループに分

層別抽出法とロビンソンの誤謬

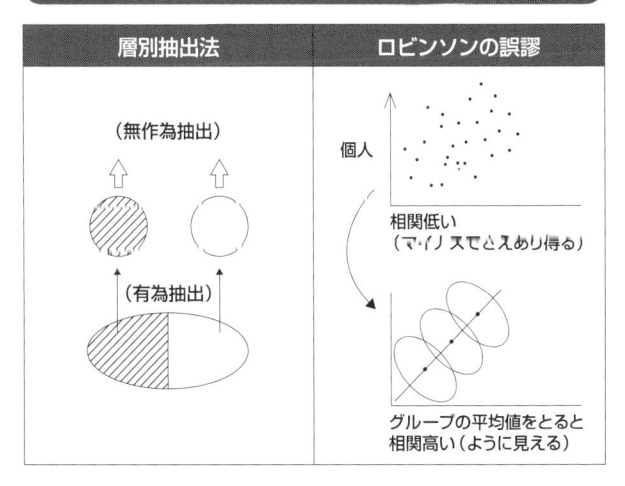

層別抽出法
（無作為抽出）
（有為抽出）

ロビンソンの誤謬
個人
相関低い
（マイナスでさえあり得る）
グループの平均値をとると相関高い（ように見える）

かれていると判明しました。そして、成績のよいグループほど平均して訪問件数が多いという分析結果が出ました。つまり、グループ単位で見ると、成績と訪問件数に関して正の相関があったのです。ところが実際には、社員のレベルで見ると相関は低いという可能性があります。それが、前ページの図のような場合です。

これは、グループという大きいカテゴリー（枠）の話を、個々の社員というレベルに単純にあてはめるわけにはいかないということです。

4 チェビシェフの不等式・大数の法則の証明（第5章）

●チェビシェフの不等式

本書第5章における区間の推定は、母集団が正規分布に従うことを前提としたものでした。ところが、平均値と分散がわかっていれば、いかなる母集団に関しても成立する公式があります。それが、チェビシェフの不等式であり、次のようなものになります。

$$P\ (\sqrt{(x-\bar{x})^2} \geq k\sigma)\ \leq \frac{1}{k^2}$$

この数式の意味を解説しましょう。

まず左辺のルートの内部は、集団内のあるデータ x と平均値 $\bar{x}$ との差の2乗です。再びその平方根をとっているので、結局両者の距離（絶対値ともいう）を表します。

なぜこのような作業をするかというと、単純に引いたのでは、値が負になってしまう可能性があるからです。そし

付録

チェビシェフの不等式の特徴

○正規母集団論では、標準正規分布よりも不正確

↕

○どのような母集団でも区間の推定ができる

て、その両者の距離が$k\sigma$(標準偏差のk倍)になる確率を、Pで表しています。

以上をまとめると、次のようになります。

「あるデータが、平均値から標準偏差のk倍以上離れた値をとる確率は、$\frac{1}{k^2}$よりも小さい」

具体的な数値をあてはめてみましょう。

5-6で述べたように、正規分布の際には分布の上下3シグマの中に、99.7%以上が含まれます。つまり、そこから値が外れる確率は、0.3%以下だということです。これを一般の分布で考えたのがチェビシェフの不等式であり、$k=3$を代入し、9分の1以下、つまり約11%以下となります。

これは正規分布の場合よりもかなり不正確ですが、その代わり、どんな分布のときにも成り立つという点で有利です。

●大数の法則の証明

この数式から、大数の法則を証明することができます。数学的には、極限の考え方を使うのですが、ここではそのイメージをつかんでください。

大数の法則は、データ数nが増えるほど、標本平均が母集団平均に近づくという法則であるということは前述したとおりです。

まず、前述の式のxを標本平均、$\bar{x}$を母平均μ、σを標本平均の標準偏差$\sigma \div \sqrt{n}$（5-4で見たように、標本の平均値の分散は、元の標本分散をnで割ったものになるため）に書き換えます。

次に、nを限りなく大きくすると、どんなにkが大きくても$k\sigma \div \sqrt{n}$は0に近似します。すると左辺は、標本平均と母平均の差が0以上になる確率と考えられます。しかし、このときkはとても大きいので、右辺も0に限りなく近い値です。そのため、標本平均と母平均の差が0以上になる確率は、より0に近くなります。それを満たすためには、標本平均と母平均の差が限りなく0に近くならなければなりません。

以上の過程によって、k、n、$\bar{x} - \mu$の3つの値が0に近づいていきます。

■統計記号一覧■

　本書では、できるだけ無駄な記号は使わないように編集してありますが、それでも多くの記号が出てきてわかりにくい部分があるでしょう。そのときは、この表を参照してください。

　なお、これらの中には一般に通用するものもあれば、他書では別表記になるものもあるので注意してください。

　とくにわかりにくいのは、4種類の分散・標準偏差を表す記号です。

　まず、V（X）は、第2章で述べた分散の定義をそのまま使うときの記号です。このとき標準偏差は、σ（X）＝シグマ、になります。

　一方、推測統計を考えるようになると、標本分散・不偏分散・母分散の区別が必要になります。この場合はそれぞれの標準偏差の2乗という意味合いで、（不偏でない）標本分散 S^2（大文字）、不偏分散 s^2（小文字）、母分散 σ^2 と表記します。頻出するのは後の2つ、すなわち不偏分散 s^2 と母分散 σ^2 です。

記号	読み方	意味
α	アルファ	有意水準、危険率
Bi(n, p)		二項分布（nはデータ数、pは事象の確率）
nCk	コンビネーション	n個からk個選ぶ組み合わせの数
E(X)		Xという事象の期待値、とくに母集団の期待値
f_i		観測度数
k		検定統計量
μ	ミュー	母平均
N		母集団のデータ数（大きさ）
n		標本のデータ数（大きさ）
P(X)		Xという事象が起こる確率
p		母集団比率、または一般的に確率
$\hat{p}$	ピーハット	標本比率
r / r_{xy}		相関係数／xとyの相関係数
$r_{23 \cdot 1}$		偏相関係数
r_k		ケンドールの順位相関係数
r_s		スピアマンの順位相関係数
S^2（大文字）		不偏でない標本分散
S（大文字）		不偏でない標本の標準偏差
s^2（小文字）		不偏分散
s（小文字）		不偏標準偏差
σ^2	シグマ2乗	母分散
σ	シグマ	母集団の標準偏差
$\sigma(X)$	シグマ	Xの標準偏差（とくに統計的推測を考えないとき）
T		t分布／標準正規分布による検定統計量
Ti		T得点、偏差値
V(X)		Xの分散（とくに統計的推測を考えないとき）
$\bar{x}$	エックスバー	標本平均
x^2	カイ2乗	カイ2乗和、またはカイ2乗分布に従う量

■統計数値表■

●標準正規分布表

表の縦方向の軸（表側）が1の位と小数点1桁、横方向の数値（表頭）が、表側の数値に対応する小数点2桁の数値を示します。その交点に存在するのが検定量で、正規分布の上側確率を表します。

下側確率を考えるときは、1からこの表の数値を引いたものを使用し、両側検定を考える際は、その半分の数値で上側検定の数値を見ます。

●t分布表

表の縦方向の軸（表側）が自由度、横方向の数値（表頭）がt分布の片側確率を表します。その交点を見ると、検定量が分かります。両側検定を考えるときは、その半分にあたる数値を見ます。

●カイ2乗分布表

表の縦方向の軸（表側）が自由度、横方向の数値（表頭）がカイ2乗分布の上側確率を表します。その交点を見ると、検定量がわかります。両側検定を考えるときは、その半分にあたる数値を見ます。

●標準正規分布表

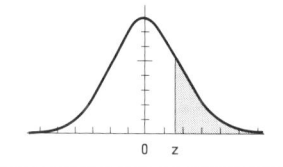

z	.00	.01	.02	.03	.04	.05	.06	.07	.08	.09
0.0	.50000	.49601	.49202	.48803	.48405	.48006	.47608	.47210	.46812	.46414
0.1	.46017	.45620	.45224	.44826	.44433	.44038	.43644	.43251	.42858	.42465
0.2	.42074	.41683	.41294	.40905	.40517	.40129	.39743	.39358	.38974	.38591
0.3	.38209	.37828	.37448	.37070	.36693	.36317	.35942	.35569	.35197	.34827
0.4	.34458	.34090	.33724	.33360	.32997	.32636	.32276	.31918	.31561	.31207
0.5	.30854	.30503	.30153	.29806	.29460	.29116	.28774	.28434	.28096	.27760
0.6	.27425	.27093	.26763	.26435	.26109	.25785	.25463	.25143	.24825	.24510
0.7	.24196	.23885	.23576	.23270	.22965	.22663	.22363	.22065	.21770	.21476
0.8	.21186	.20897	.20611	.20327	.20045	.19766	.19489	.19215	.18943	.18673
0.9	.18406	.18141	.17879	.17619	.17361	.17106	.16853	.16602	.16354	.16109
1.0	.15866	.15625	.15386	.15151	.14917	.14686	.14457	.14231	.14007	.13786
1.1	.13567	.13350	.13136	.12924	.12714	.12507	.12302	.12100	.11990	.11702
1.2	.11507	.11314	.11123	.10935	.10749	.10565	.10383	.10204	.10027	.09853
1.3	.09680	.09510	.09342	.09176	.09012	.08851	.08691	.08534	.08379	.08226
1.4	.08076	.07927	.07780	.07636	.07493	.07353	.07215	.07078	.06944	.06811
1.5	.06681	.06552	.06426	.06301	.06178	.06057	.05938	.05821	.05705	.05592
1.6	.05480	.05370	.05262	.05155	.05050	.04947	.04846	.04746	.04648	.04551
1.7	.04457	.04363	.04272	.04182	.04093	.04006	.03920	.03836	.03754	.03673
1.8	.03593	.03515	.03438	.03362	.03288	.03216	.03144	.03074	.03005	.02938
1.9	.02872	.02807	.02743	.02680	.02619	.02559	.02500	.02442	.02385	.02330
2.0	.02275	.02222	.02169	.02118	.02068	.02018	.01970	.01923	.01876	.01831
2.1	.01786	.01743	.01700	.01659	.01618	.01578	.01539	.01500	.01463	.01426
2.2	.01390	.01355	.01321	.01287	.01255	.01222	.01191	.01160	.01130	.01101
2.3	.01072	.01044	.01017	.00990	.00964	.00939	.00914	.00889	.00866	.00842
2.4	.00820	.00798	.00776	.00755	.00734	.00714	.00695	.00676	.00657	.00639
2.5	.00621	.00604	.00587	.00570	.00554	.00539	.00523	.00508	.00494	.00480
2.6	.00466	.00453	.00440	.00427	.00415	.00402	.00391	.00379	.00368	.00357
2.7	.00347	.00336	.00326	.00317	.00307	.00298	.00289	.00280	.00272	.00264
2.8	.00256	.00248	.00240	.00233	.00226	.00219	.00212	.00205	.00199	.00193
2.9	.00187	.00181	.00175	.00169	.00164	.00159	.00154	.00149	.00144	.00139
3.0	.00135	.00131	.00126	.00122	.00118	.00114	.00111	.00107	.00104	.00100
3.1	$.0^3969$	$.0^3935$	$.0^3904$	$.0^3874$	$.0^3845$	$.0^3816$	$.0^3789$	$.0^3762$	$.0^3736$	$.0^3711$
3.2	$.0^3687$	$.0^3664$	$.0^3641$	$.0^3619$	$.0^3598$	$.0^3577$	$.0^3557$	$.0^3538$	$.0^3519$	$.0^3501$
3.3	$.0^3483$	$.0^3466$	$.0^3450$	$.0^3434$	$.0^3419$	$.0^3404$	$.0^3390$	$.0^3376$	$.0^3362$	$.0^3349$
3.4	$.0^3337$	$.0^3325$	$.0^3313$	$.0^3302$	$.0^3291$	$.0^3280$	$.0^3270$	$.0^3260$	$.0^3251$	$.0^3242$
3.5	$.0^3233$	$.0^3224$	$.0^3216$	$.0^3208$	$.0^3200$	$.0^3193$	$.0^3185$	$.0^3178$	$.0^3172$	$.0^3165$
3.6	$.0^3159$	$.0^3153$	$.0^3147$	$.0^3142$	$.0^3136$	$.0^3131$	$.0^3126$	$.0^3121$	$.0^3117$	$.0^3112$
3.7	$.0^3108$	$.0^3104$	$.0^4996$	$.0^4957$	$.0^4920$	$.0^4884$	$.0^4850$	$.0^4816$	$.0^4784$	$.0^4753$
3.8	$.0^4723$	$.0^4695$	$.0^4667$	$.0^4641$	$.0^4615$	$.0^4591$	$.0^4567$	$.0^4544$	$.0^4522$	$.0^4501$
3.9	$.0^4481$	$.0^4461$	$.0^4443$	$.0^4425$	$.0^4407$	$.0^4391$	$.0^4375$	$.0^4359$	$.0^4345$	$.0^4330$
4.0	$.0^4317$	$.0^4304$	$.0^4291$	$.0^4279$	$.0^4267$	$.0^4256$	$.0^4245$	$.0^4235$	$.0^4225$	$.0^4216$

●t分布表

自由度2の例

α ν	.500	.400	.300	.200	.100	.050	.020	.010	.0020	.0010
1	1.000	1.376	1.963	3.078	6.314	12.706	31.821	63.657	318.309	636.619
2	.816	1.061	1.386	1.886	2.920	4.303	6.965	9.925	22.327	31.599
3	.765	.978	1.250	1.638	2.353	3.182	4.541	5.841	10.215	12.924
4	.741	.941	1.190	1.533	2.132	2.776	3.747	4.604	7.173	8.610
5	.727	.920	1.156	1.476	2.015	2.571	3.365	4.032	5.893	6.869
6	.718	.906	1.134	1.440	1.943	2.447	3.143	3.707	5.208	5.959
7	.711	.896	1.119	1.415	1.895	2.365	2.998	3.499	4.785	5.408
8	.706	.889	1.108	1.397	1.860	2.306	2.896	3.355	4.501	5.041
9	.703	.883	1.100	1.383	1.833	2.262	2.821	3.250	4.297	4.781
10	.700	.879	1.093	1.372	1.812	2.228	2.764	3.169	4.144	4.587
11	.697	.876	1.088	1.363	1.796	2.201	2.718	3.106	4.025	4.437
12	.695	.873	1.083	1.356	1.782	2.179	2.681	3.055	3.930	4.318
13	.694	.870	1.079	1.350	1.771	2.160	2.650	3.012	3.852	4.221
14	.692	.868	1.076	1.345	1.761	2.145	2.624	2.977	3.787	4.140
15	.691	.866	1.074	1.341	1.753	2.131	2.602	2.947	3.733	4.073
16	.690	.865	1.071	1.337	1.746	2.120	2.583	2.921	3.686	4.015
17	.689	.863	1.069	1.333	1.740	2.110	2.567	2.898	3.646	3.965
18	.688	.862	1.067	1.330	1.734	2.101	2.552	2.878	3.610	3.922
19	.688	.861	1.066	1.328	1.729	2.093	2.539	2.861	3.579	3.883
20	.687	.860	1.064	1.325	1.725	2.086	2.528	2.845	3.552	3.850
21	.686	.859	1.063	1.323	1.721	2.080	2.518	2.831	3.527	3.819
22	.686	.858	1.061	1.321	1.717	2.074	2.508	2.819	3.505	3.792
23	.685	.858	1.060	1.319	1.714	2.069	2.500	2.807	3.485	3.768
24	.685	.857	1.059	1.318	1.711	2.064	2.492	2.797	3.467	3.745
25	.684	.856	1.058	1.316	1.708	2.060	2.485	2.787	3.450	3.725
26	.684	.856	1.058	1.315	1.706	2.056	2.479	2.779	3.435	3.707
27	.684	.855	1.057	1.314	1.703	2.052	2.473	2.771	3.421	3.690
28	.683	.855	1.056	1.313	1.701	2.048	2.467	2.763	3.408	3.674
29	.683	.854	1.055	1.311	1.699	2.045	2.462	2.756	3.396	3.659
30	.683	.854	1.055	1.310	1.697	2.042	2.457	2.750	3.385	3.646
31	.682	.853	1.054	1.309	1.696	2.040	2.453	2.744	3.375	3.633
32	.682	.853	1.054	1.309	1.694	2.037	2.449	2.738	3.365	3.622
33	.682	.853	1.053	1.308	1.692	2.035	2.445	2.733	3.356	3.611
34	.682	.852	1.052	1.307	1.691	2.032	2.441	2.728	3.348	3.601
35	.682	.852	1.052	1.306	1.690	2.030	2.438	2.724	3.340	3.591
36	.681	.852	1.052	1.306	1.688	2.028	2.434	2.719	3.333	3.582
37	.681	.851	1.051	1.305	1.687	2.026	2.431	2.715	3.326	3.574
38	.681	.851	1.051	1.304	1.686	2.024	2.429	2.712	3.319	3.566
39	.681	.851	1.050	1.304	1.685	2.023	2.426	2.708	3.313	3.558
40	.681	.851	1.050	1.303	1.684	2.021	2.423	2.704	3.307	3.551
45	.680	.850	1.049	1.301	1.679	2.014	2.412	2.690	3.281	3.520
50	.679	.849	1.047	1.299	1.676	2.009	2.403	2.678	3.261	3.496
60	.679	.848	1.045	1.296	1.671	2.000	2.390	2.660	3.232	3.460
80	.678	.846	1.043	1.292	1.664	1.990	2.374	2.639	3.195	3.416
100	.677	.845	1.042	1.290	1.660	1.984	2.364	2.626	3.174	3.390
120	.677	.845	1.041	1.289	1.658	1.980	2.358	2.617	3.160	3.373
∞	.674	.842	1.036	1.282	1.645	1.960	2.326	2.576	3.090	3.291

●カイ2乗分布表

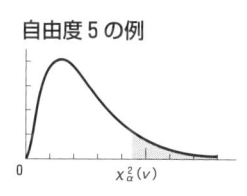

自由度5の例

α ν	.995	.990	.975	.950	.900	.500	.100	.050	.025	.010	.005
1	$0^4 39270$	$0^3 15709$	$0^3 98207$	$0^2 39321$	.015791	.45494	2.7055	3.8415	5.0239	6.6349	7.8794
2	.010025	.020101	.050636	.10259	.21072	1.3863	4.6052	5.9915	7.3778	9.2103	10.597
3	.071722	.11483	.21580	.35185	.58437	2.3660	6.2514	7.8147	9.3484	11.345	12.838
4	.20699	.29711	.48442	.71072	1.0636	3.3567	7.7794	9.4877	11.143	13.277	14.860
5	.41174	.55430	.83121	1.1455	1.6103	4.3515	9.2364	11.070	12.833	15.086	16.750
6	.67573	.87209	1.2373	1.6354	2.2041	5.3481	10.645	12.592	11.449	16.812	18.548
7	.98926	1.2390	1.6899	2.1673	2.8331	6.3458	12.017	14.067	16.013	18.475	20.278
8	1.3444	1.6465	2.1797	2.7326	3.4895	7.3441	13.362	15.507	17.535	20.090	21.955
9	1.7349	2.0879	2.7004	3.3251	4.1682	8.3428	14.684	16.919	19.203	21.666	23.589
10	2.1559	2.5582	3.2470	3.9403	4.8652	9.3418	15.987	18.307	20.483	23.209	25.188
11	2.6032	3.0535	3.8157	4.5748	5.5778	10.341	17.275	19.675	21.920	24.725	26.757
12	3.0738	3.5706	4.4038	5.2260	6.3038	11.340	18.549	21.026	23.338	26.217	28.300
13	3.5650	4.1069	5.0088	5.8919	7.0415	12.340	19.812	22.362	24.736	27.688	29.819
14	4.0747	4.6604	5.6287	6.5706	7.7895	13.339	21.064	23.685	26.119	29.141	31.319
15	4.6009	5.2293	6.2621	7.2609	8.5468	14.339	22.307	24.996	27.488	30.578	32.801
16	5.1422	5.8122	6.9077	7.9616	9.3122	15.338	23.542	26.296	28.845	32.000	34.267
17	5.6972	6.4078	7.5642	8.6718	10.085	16.338	24.769	27.587	30.191	33.409	35.718
18	6.2648	7.0149	8.2307	9.3905	10.865	17.338	25.989	28.869	31.526	34.805	37.156
19	6.8440	7.6327	8.9065	10.117	11.651	18.338	27.204	30.144	32.852	36.191	38.582
20	7.4338	8.2604	9.5908	10.851	12.443	19.337	28.412	31.410	34.170	37.566	39.997
21	8.0337	8.8972	10.283	11.591	13.240	20.337	29.615	32.671	35.479	38.932	41.401
22	8.6427	9.5425	10.982	12.338	14.041	21.337	30.813	33.924	36.781	40.289	42.796
23	9.2604	10.196	11.689	13.091	14.848	22.337	32.007	35.172	38.076	41.638	44.181
24	9.8862	10.856	12.401	13.848	15.659	23.337	33.196	36.415	39.364	42.980	45.559
25	10.520	11.524	13.120	14.611	16.473	24.337	34.382	37.652	40.646	44.314	46.928
26	11.160	12.198	13.844	15.379	17.292	25.336	35.563	38.885	41.923	45.642	48.290
27	11.808	12.879	14.573	16.151	18.114	26.336	36.741	40.113	43.195	46.963	49.645
28	12.461	13.565	15.308	16.928	18.939	27.336	37.916	41.337	44.461	48.278	50.993
29	13.121	14.256	16.047	17.708	19.768	28.336	39.078	42.557	45.722	49.588	52.336
30	13.787	14.953	16.791	18.493	20.599	29.336	40.256	43.773	46.979	50.892	53.672
31	14.458	15.655	17.539	19.281	21.434	30.336	41.422	44.985	48.232	52.191	55.003
32	15.134	16.362	18.291	20.072	22.271	31.336	42.585	46.194	49.480	53.486	56.328
33	15.815	17.074	19.047	20.867	23.110	32.336	43.745	47.400	50.725	54.776	57.648
34	16.501	17.789	19.806	21.664	23.952	33.336	44.903	48.602	51.966	56.061	58.964
35	17.192	18.509	20.569	22.465	24.797	34.336	46.059	49.802	53.203	57.342	60.275
36	17.887	19.233	21.336	23.269	25.643	35.336	47.212	50.998	54.437	58.619	61.581
37	18.586	19.960	22.106	24.075	26.492	36.336	48.363	52.192	55.668	59.893	62.883
38	19.289	20.691	22.878	24.884	27.343	37.335	49.513	53.384	56.896	61.162	64.181
39	19.996	21.426	23.654	25.695	28.196	38.335	50.660	54.572	58.120	62.428	65.476
40	20.707	22.164	24.433	26.509	29.051	39.335	51.805	55.758	59.342	63.691	66.766
50	27.991	29.707	32.357	34.764	37.689	49.335	63.167	67.505	71.420	76.154	79.490
60	35.534	37.485	40.482	43.188	46.459	59.335	74.397	79.082	83.298	88.379	91.952
70	43.275	45.442	48.758	51.739	55.329	69.334	85.527	90.531	95.023	100.43	104.21
80	51.172	53.540	57.153	60.391	64.278	79.334	96.578	101.88	106.63	112.33	116.32
90	59.196	61.754	65.647	69.126	73.291	89.334	107.57	113.15	118.14	124.12	128.30
100	67.328	70.065	74.222	77.929	82.358	99.334	118.50	124.34	129.56	135.81	140.17
110	75.550	78.458	82.867	86.792	91.471	109.33	129.39	135.48	140.92	147.41	151.95
120	83.852	86.923	91.573	95.705	100.62	119.33	140.23	146.57	152.21	158.95	163.65

統計用語索引

● あ行 ●

移動平均法　3-9
因果関係　3-3
因子分析　7-6

● か行 ●

回帰分析
　→ 単回帰分析、
　　　重回帰分析
階級値　2-1
カイ2乗分布　5-13
確率論　5-1
確率分布　5-3
確率密度関数　5-3
仮説　6-1
片側検定　6-2
幾何平均 → 平均値
棄却　6-1
記述統計学　1-3
季節変動　3-8
期待値　5-1
帰無仮説　6-1
共分散　3-2
区間推定　5-7
組み合わせ　5-2
傾向変動　3-8
決定係数　3-7
検定　6-1
ケンドール → 順位相関係数

誤差
　→ 標本誤差、非標本誤差

● さ行 ●

最小2乗法　3-6
散布図　3-1
算術平均 → 平均値
時系列データ　3-8
自己相関係数　3-10
順位相関係数　付録-2
ジニ係数　2-6
重回帰分析　7-2、7-3
従属変数 → 目的変数
自由度　5-8、5-13
主成分分析　7-5
信頼区間　5-6
信頼率　5-6
推定　5-3
推測統計学　1-3
スタージェスの公式
　　　　　　　付録-1
スピアマン
　→ 相関係数、
　　　順位相関係数
正規分布　5-6
正規母集団　5-6
積率相関係数 → 相関係数
尖度　付録-1
相関関係　3-1

相関係数　3-2、3-3
相対度数 → 度数
説明変数　3-5
層別抽出法　付録-3
双峰型分布　2-2
Z得点　2-8

●た行●
第一義統計　1-2
第1種の誤り
　→ 2種類の誤り
大数の法則　5-4
第二義統計　1-2
第2種の誤り
　→ 2種類の誤り
代表値　2-3
対立仮説　6-1
ダミー変数　1-2
単回帰分析　3-5
多変量解析　7-1
単峰型分布　2-1
抽出法　4-2
チェビシェフの不等式
　　　　　　付録-4
中心極限定理　5-5
定性的データ　1-2
T得点 → 偏差値
t分布　5-9
点推定　5-7

統計のうそ　1-1、8-2
独立性の検定
　　　　6-7、6-8
独立変数 → 説明変数
度数　2-1
度数分布表　2-1

●な行●
2項分布　5-3
2種類の誤り　6-2

●は行●
パラメトリック　5-3
判別分析　7-4
ヒストグラム　2-2
非標本誤差　4-3
標準化　2-8
標準得点　2-8
標準偏差　2-8
標本　4-1
標本誤差　4-6
標本分散　4-1
標本平均　4-1
不偏推定量　5-3
不偏分散　5-8
分散　2-7
分位点　2-4
平均値　2-3
ベルヌーイ試行　5-2

統計用語索引

偏差値　2-8
偏相関係数　3-4
変動係数　2-7
母集団　1-1

●ま行●
見かけ上の相関　3-4
無作為抽出法　→ 抽出法
メディアン　2-4
モード　2-4
目的変数　3-5

●や行●
有意水準　6-2
有意抽出法　→ 抽出法
有限母集団修正　5-14
歪んだ分布　2-2

●ら行●
両側検定　6-2
累積度数　→ 度数
累積相対度数　→ 度数
ローレンツ曲線　2-6

●わ行●
歪度　付録-1

■著者紹介
グローバルタスクフォース株式会社
世界18ヵ国の主要経営大学院55校が共同で運営する世界最大の公式MBA組織「Global Workplace」(本部：ロンドン)を母体とする戦略子会社。MBA同窓生を中心に、リーダー3種の神器(人脈・キャリア・知識)をバランスよく構築できるインフラを提供。日本では雇用の代替としての非雇用型人材支援サービス「エグゼクティブスワット」を世界に先駆けて展開し、多くのプロジェクト実績を持つ。また、WEBサイト「日経BizC.E.O.」を日経グループと共同で運営。著書に『通勤大学MBA』および『通勤大学実践MBA』シリーズ、『あらすじで読む世界のビジネス名著』『ポーター教授「競争の戦略」入門』『コトラー教授「マーケティング・マネジメント」入門(I・II)』『MBA世界最強の戦略思考』(以上、総合法令出版)、『図解 わかる！MBAマーケティング』(PHP研究所)など多数ある。URL：http://www.global-taskforce.net

通勤大学文庫
通勤大学MBA13　統計学
2005年9月7日　初版発行
2010年3月8日　4刷発行

著　者	グローバルタスクフォース株式会社
装　幀	倉田明典
イラスト	田代卓事務所
発行者	野村直克
発行所	総合法令出版株式会社

〒107-0052　東京都港区赤坂1015
日本自転車会館2号館7階
電話　03-3584-9821
振替　00140-0-69059

印刷・製本　中央精版印刷株式会社
ISBN978-4-89346-915-1

©GLOBAL TASKFORCE K.K. 2005　Printed in Japan
落丁・乱丁本はお取り替えいたします。

総合法令出版ホームページ　http://www.horei.com

通勤電車で楽しく学べる新書サイズのビジネス書

「通勤大学文庫」シリーズ

通勤大学MBAシリーズ　グローバルタスクフォース=著

- ○マネジメント ¥893　○マーケティング ¥830　○クリティカルシンキング ¥819
- ○アカウンティング ¥872　○コーポレートファイナンス ¥872　○ヒューマンリソース ¥872　○ストラテジー ¥872　○Q&A ケーススタディ ¥935　○経済学 ¥935　○ゲーム理論 ¥935　○MOT テクノロジーマネジメント ¥935　○メンタルマネジメント ¥935　○統計学 ¥935　○クリエイティブシンキング ¥935

通勤大学実践MBAシリーズ　グローバルタスクフォース=著

- ○決算書 ¥935　○店舗経営 ¥935　○事業計画書 ¥924
- ○商品・価格戦略 ¥935　○戦略営業 ¥935

通勤大学人物講座　松本幸夫=著

- ○中村天風に学ぶ ¥893　○安岡正篤に学ぶ ¥893　○マーフィーの教え ¥893

通勤大学法律コース　ビジネス戦略法務研究会=著

- ○手形・小切手 ¥893　○領収書 ¥893　○商業登記簿 ¥935
- ○不動産登記簿 ¥1000

通勤大学基礎コース

- ○「話し方」の技術 ¥918　○相談の技術 大畠常靖=著 ¥935
- ○学ぶ力 ハイブロー武蔵=著 ¥903　○国際派ビジネスマンのマナー講座 ペマ・ギャルポ=著 ¥1000

通勤大学英語講座

- ○カンタン英文法攻略法 各務乙彦=著 ¥903
- ○出会い系スピード英語学習法 登内和夫=著 ¥840

通勤大学財務コース

- ○金利・利息 小向宏美=著 古橋隆之=監修 ¥935
- ○法人税 鶴田彦夫=著 ¥1000　○損益分岐点 平野敦士=著 ¥935

通勤大学図解・速習

- ○ 孫子の兵法 ハイブロー武蔵=叢小榕= 監修 ¥830　○ 新訳 学問のすすめ 福沢諭吉=著 ハイブロー武蔵=現代語訳・解説 ¥893

読み物・その他

- ○ビジネスマンのための21世紀大学 鷲田小彌太=著 ¥788　○必携!ビジネスマンの基本と実務 総合法令=編 辛島茂=監修 ¥893
- ○みるみるよくなる「こころ」と「からだ」見山敏=著 ¥1000